CD I - TRANSCRIPCIONES

EXAMEN 1. Individuo, alimentación, salud e higiene

PRUEBA 2

Pista 1. Tarea 1, p. 15

Conversación 1

Narrador: Va a escuchar a unos padres que están hablando sobre su hijo.
Mujer: No sé qué le pasa al niño, no deja de llorar...
Hombre: Quizá le ha sentado mal la comida. No sé, voy a echarle un vistazo. Creo que no es más que un catarro. Se habrá contagiado en la guardería.
Mujer: Es verdad. Voy a darle un analgésico a ver si así puede dormir y nos deja ver la película tranquilos.

Conversación 2

Narrador: Va a escuchar una conversación entre dos viejos amigos que se encuentran por la calle.
Juan: Hombre, Pedro, ¡cuánto tiempo...! ¿Qué es de tu vida?
Pedro: Pues nada, aquí me ves. Vengo de hacerme un empaste en una muela. ¿Y a ti, Juan, qué te ha pasado que estás vendado?
Juan: Pues que me he caído y me he hecho un esguince.
Pedro: ¡Bueno, Juan...! ¡Con la salud de hierro que has tenido siempre!, ¡vaya faena! ¿No?

Conversación 3

Narrador: Va a escuchar una conversación en un restaurante entre un camarero y una clienta.
Hombre: ¿Sabe ya lo que va a tomar?
Mujer: Sí, de primero fabada y de segundo, no sé... ¿Qué me recomienda?
Hombre: Fuera de la carta tenemos lubina al horno y pechuga empanada con salsa de jerez y miel.
Mujer: Pues, la pechuga. Y de postre, una macedonia.
Hombre: ¿Y para beber?
Mujer: Agua, agua del grifo, por favor.

Conversación 4

Narrador: Va a escuchar una conversación entre dos compañeras de piso.
Mujer 1: Creo que tenemos que hacer un pequeño botiquín.
Mujer 2: Sí, me parece una buena idea. Por cierto, ¿me puedes dejar una lima? Se me ha roto una uña.
Mujer 1: Sí, mira, tienes una en mi mesilla. ¿Y tú tienes una gasa? Es para desinfectarme un grano...
Mujer 2: Lo siento, no tengo ninguna. Luego compramos un paquete, ¿vale?

Conversación 5

Narrador: Va a escuchar una conversación telefónica entre dos amigas.
Mujer 1: ¡Enhorabuena, Teresa! ¡Abuela por segunda vez! ¿Qué ha sido, niño o niña?
Mujer 2: ¡Niña...! ¡Y ya sabes que las niñas me vuelven loca!
Mujer 1: Oye, ¿se parece a su hermano, Álvaro?
Mujer 2: ¡Qué va, es clavada a mi nuera!
Mujer 1: ¿Y cómo le han puesto?
Mujer 2: Magia, ¿qué te parece? ¡Desde luego, los jóvenes de hoy en día no tienen dos dedos de frente...!

Conversación 6

Narrador: Va a escuchar una conversación telefónica entre un profesor y la madre de un niño.
Hombre: Siento decirle que su hijo se ha caído en el patio... Lo hemos llevado al ambulatorio y le han dado puntos.
Mujer: ¿Pero está bien?
Hombre: Tranquila, está bien. Tiene un golpe en la frente y un pequeño corte en la rodilla, pero es leve y no creo que le quede luego cicatriz.
Mujer: ¿Y le han dado algún medicamento?
Hombre: Sí, una pomada y un antiinflamatorio.

Pista 2. Tarea 2, p. 16

Plácido: El tabaco acompaña a los fumadores y eso hace que se convierta en un amigo inseparable y que cuando se deja el tabaco, se sienta como un duelo.

Teresa: Muchos fumadores se apoyan en el tabaco para muchas cosas.
Plácido: Cuando alguien toma la decisión de dejarlo se enfrenta a una tarea de aprendizaje extraordinariamente difícil. Dentro de Atención Primaria tenemos dos formas de actuar: de forma individual o de forma grupal, porque claro, el aprendizaje del fumador es un aprendizaje en grupo.
Teresa: Nosotros, en la Unidad de Tabaquismo del hospital de La Princesa de Madrid, lo que hacemos son terapias individuales, no grupales, porque para eso tenemos muy buena relación con nuestros centros de salud y les servimos de apoyo a ellos cuando lo necesitan. Yo creo que es fundamental tanto el abordaje multidisciplinar como la buena coordinación entre los centros de salud y todos los especialistas.
Plácido: ¿Qué hace falta para dejar de fumar? Tres cosas: primero, querer dejarlo; segundo, lo que antes se llamaba fuerza de voluntad y hoy motivación; tercero, saber cómo dejarlo.
Teresa: Todos sabemos que el tabaco es malo, pero no está mal que nos lo recuerden con datos porque eso a los pacientes muchas veces se les olvida. Si se les recuerda que con una calada van 50 000 sustancias, ya asusta más. Y si te hablan de esas sustancias, como la naftalina, el níquel, etc., más aún.
Plácido: No solo es prevenir recaídas que, efectivamente, son un gran problema y algo prevenible, sino aprender a afrontar la recaída en caso de que se produzca. Hay personas que recaen y otras que no y eso nos lleva a la clarificación de que hay personas que no son adictas. El verdadero problema de la recaída son los adictos.
Teresa: Deben tomar una decisión que implique un compromiso, que tengan expectativas correctas e incluso aprovechar el esfuerzo y verlo como una oportunidad para introducir hábitos saludables en el estilo de vida.
327 palabras *Adaptado de «Para todos la dos». RTVE.*

Pista 3. Tarea 3, p. 17
Entrevistador: ¿Dar la mano de una forma correcta para dar una buena impresión a los demás dice muchas cosas de nosotros?
Elsa: Absolutamente. Cada gesto dice algo de quiénes somos y el saludo es la primera impresión que ofrecemos a los demás.
Entrevistador: ¿Y por qué razón frotamos nuestras manos desnudas con gente que a lo mejor no conocemos?
Elsa: Darse la mano es un rito bastante corriente en muchísimas partes del mundo, empezando con nuestros primos lejanos, los chimpancés, donde los más dominantes extienden una mano abierta a sus subordinados en un gesto como para calmarles, no para hacerles daño. En los grupos humanos es al revés: suele ser el subordinado el que inicia el apretón de manos porque de alguna forma el iniciar tú el saludo te hace más vulnerable.
Hay otras formas de saludarse que son más agresivas; por ejemplo, hay unas tribus esquimales que saludan a los nuevos a base de bofetones. Se van dando bofetones, cada vez más fuertes, hasta que uno cae al suelo.
Entrevistador: El dar la mano puede resultar violento también…
Elsa: Sí. Yo creo que vamos a dar algunos trucos para dar la mano.
Entrevistador: Sí, claro, vamos a ver el primero.
Elsa: Se ha demostrado que hay una relación muy directa entre cómo eres tú y cómo das la mano, es decir, que a veces no es fácil cambiar el modo de darla, pero vamos a ver por lo menos algunas de las peores, que es con la palma hacia abajo. Lo que se está diciendo es básicamente autoridad, dominancia, estoy aquí, mando yo. Cuidado con las personas que dan la mano así.
La mano hacia arriba es todo lo contrario: vulnerabilidad. Puede estar bien si el otro te pone su otra mano abajo, porque te está pidiendo disculpas. Realmente si das la mano hacia arriba parece que te estás excusando por algo.
Muy importante es la posición de los pulgares. Si pones el pulgar encima indica superioridad, porque además me obligas a bajar el mío. Si mi mano está hacia abajo o con el pulgar hacia abajo yo, de alguna forma, me estoy dejando dominar.
Entrevistador: ¿Por qué nos disgusta tanto el apretón de manos flojo?
Elsa: Porque se suele percibir que la persona que da el apretón tiene muy poco interés por ti o que es una persona blanda, sin carácter. Hay un estudio que dice que en una entrevista de trabajo si das un apretón de manos fuerte tienes más posibilidades de conseguir el trabajo, sobre todo si eres una mujer, porque estás destacando.
Entrevistador: Entonces, Elsa, ¿cuál sería la forma correcta de dar la mano?
Elsa: En principio y como norma general la mano de frente, nunca abajo o arriba y los pulgares horizontales, excepto si quieres pedir perdón. Y un truco: si das la mano como he dicho antes y tocas un poquito el codo del otro, le das inmediatamente sensación como de más calidez. ¡Ah! Y decir el nombre del otro mirándole a los ojos.
500 palabras *Adaptación de «Los gestos nos definen».*
www.cuatro.com/el-hormiguero/Elsa-Punset

Pista 4. Tarea 4, p. 18

Persona 0 (ejemplo)

Mujer: Yo soy muy dormilona. Fíjate: estoy acostumbrada a hacer pasteles y hasta llevando dos cartones de huevos por las escaleras di dos cabezadas. No se me cayeron, pero me dormí. Otras veces mientras ceno me duermo y se me cae el cuchillo. Si hay tormenta no siento los truenos; si mi marido se levanta, tampoco me entero... Antes más que ahora.

La opción correcta es la G.

Persona 1

Hombre: Soy Guardia Civil y cuando tenía veinte años fui destinado a Fuenterrabía. Desde Fuenterrabía al puerto hay un muro. Haciendo el servicio por la noche yo iba siempre de jefe de pareja, y entonces iba delante y me quedaba dormido de pie y, para no caerme, me pegaba al muro mientras iba andando y así no me caía en el trayecto.

Persona 2

Hombre: Ahora mismo, si estoy delante de la tele y con falta de sueño, entro en coma; y se lo digo yo porque mi mujer es enfermera de urgencias y lo dice. También si en ese momento estoy comiendo pipas, mientras me duermo, continúo comiéndolas sin darme cuenta. Les he dicho a mis hijos que me graben para ponerme en YouTube. Cuando me despierto, estoy con todas las cáscaras encima.

Persona 3

Mujer: Un año fui con mi marido a Roma. Cuando entramos en la Capilla Sixtina, nos sentamos y estábamos tan relajados viendo las obras de arte que nos quedamos los dos roncando. Menos mal que no había por allí ningún ladrón. Estábamos, literalmente, en la gloria. Pero sin duda alguna, para mí el mejor somnífero es la tele. Me siento delante y a los cinco minutos estoy dormida.

Persona 4

Mujer: Mi marido, cuando éramos novios, se daba cuenta de que me había dormido porque le daba golpes en la espalda con el casco cuando íbamos montados en su Vespa. Me quedaba dormida yendo de «paquete» en la moto. Puedo dormirme de pie, sentada, con ruido, luz o como sea.

Persona 5

Mujer: Yo duermo muy poquito. Me acuesto sobre las once o así, leo un poquito y a las tres y media ya estoy levantada. A mí antes me encantaba dormir por la mañana, pero ahora tengo síndrome de piernas inquietas y con eso no se duerme. Luego el día, para mí, es muy largo y me da tiempo a hacer de todo.

Persona 6

Hombre: Yo soy de dormir poco también pero porque para mí es una pérdida de tiempo; es necesario dormir, claro, pero prefiero estar despierto aunque no tenga nada que hacer. Suelo dormir unas cinco horas o menos. Me acuesto sobre las doce, leo un ratito y a las cinco me levanto. Y aguanto muy bien, porque las horas que duermo descanso bien.

Adaptado de «¿Cómo duermes?» Herrera en la Onda. Onda Cero.

Pista 5. Tarea 5, p. 19

Acento mexicano

Pues el chocolate, todos lo sabemos, es básicamente un alimento, además de que a mucha gente le gusta. Sin embargo, se han hecho estudios muy interesantes desde el punto de vista clínico y epidemiológico que han demostrado que el chocolate, y particularmente el cacao, componente más importante del chocolate, tiene muchos beneficios para la salud. Por ejemplo, en la salud cardiovascular, en la regulación de la presión arterial y, muy recientemente también, se ha descrito un efecto que previene el desarrollo prematuro de la diabetes, una enfermedad común hoy en día.

Muy interesante es la historia del chocolate, del cacao, en realidad, que es originario de aquí, de América. Los mexicas fueron los primeros que empezaron a utilizar el cacao como una infusión precisamente por el efecto calórico y energizante que tiene.

Fue Hernán Cortés, futuro conquistador, el que primero se dio cuenta de que este producto tan particular tenía un efecto energizante en sus soldados. Él lo llevó a Europa, primero a la Corte española. Ahí los Padres Agustinos asumieron casi como un secreto de estado el cómo se preparaba esta infusión. Después, bueno, con todas las conexiones que tenían en aquel tiempo los países europeos entre sus soberanos, pasó a Francia, a Inglaterra y se consolidó el cacao como un producto. Los suizos fueron los primeros en fabricar en primer lugar el chocolate con leche y después las distintas variedades.

Evidentemente, el chocolate, sobre todo el buen chocolate, es cacao de buena calidad y tiene su precio. Dicen que el ecuatoriano es el mejor cacao del mundo y está claro que cuando uno quiere consumir un buen chocolate tiene que pagarlo. Lo ideal sería que todos lo consumieran por salud a modo de prevención. Para todo el mundo sería altamente recomendable consumir pequeñas porciones de buen chocolate con alta proporción de cacao, pero las condiciones del mercado no siempre lo permiten.

El cacao, dentro de sus múltiples componentes, contiene una sustancia muy particular llamada *flavonoide*, que son antioxidantes. El proceso de acumulación de colesterol y de grasa a nivel de los grandes vasos, que termina por bloquearlos, va acompañado de un fenómeno de oxidación. Entonces, cuando uno consume antioxidantes, en este caso *flavonoides* provenientes del cacao, va a ejercer un efecto protector que permite disminuir el proceso.

384 palabras *Adaptado de El chocolate y sus beneficios a la salud www.youtube.com*

PRUEBA 3

Pista 6. Tarea 1, p. 20

En los últimos años, con el desarrollo de los teléfonos móviles, hemos visto que se han colocado antenas por todas partes. Las emisiones que producen estas antenas están dentro de las llamadas de radiación no ionizante, que es toda energía en forma de ondas que se propagan a través del espacio.

Esta emisión de radiación puede producir cambios eléctricos en la membrana de todas las células del cuerpo, alterando los flujos celulares de algunos iones, sobre todo el calcio, lo que podría tener efectos biológicos importantes.

Aunque es indudable que ejercen efectos biológicos, el papel de las radiaciones no ionizantes como agentes cancerígenos es polémico.

Un estudio importante que está realizando el Centro Internacional de Investigaciones sobre el Cáncer –organismo especializado de la OMS– examina las relaciones entre la utilización de teléfonos móviles y posibles efectos adversos y aconseja:

- Que se cumpla la normativa, que se aisle apropiadamente la zona y que se tenga en cuenta a los vecinos de los alrededores: las ondas afectan horizontalmente más a los vecinos de enfrente que a los propios.
- Medidas sencillas de protección: vallas o barreras en torno a los emplazamientos de antenas pueden contribuir a evitar el acceso no autorizado a zonas donde quizá se excedan los límites fijados.

Desde el punto de vista de la salud pública, se piensa que hay que considerar estos hallazgos como serias advertencias sobre los potenciales efectos adversos de la radiación no ionizante.

237 palabras *Adaptado de www.tuotromedico.com*

EXAMEN 2. Trabajo, vivienda, economía e industria

PRUEBA 2

Pista 7. Tarea 1, p. 37

Conversación 1

Narrador: Va a escuchar a dos compañeros que acaban de entrar en un piso recién alquilado por Internet.
Mujer: ¡Uf, cómo está todo…! ¡Esto necesita una limpieza a fondo antes de que hagamos la mudanza!
Hombre: ¡Qué pereza! Pero no hay más remedio. Yo, si quieres, me ocupo del polvo y de la aspiradora. Y después puedo pasar la fregona, ¿vale? ¡Venga! ¡A trabajar!
Mujer: ¡Qué bien…! ¡Y a mí me tocan los baños y la cocina, que están asquerosos! ¿No? ¡Estupendo!

Conversación 2

Narrador: Va a escuchar a un matrimonio que tiene problemas en su vivienda.
Mujer: ¡Otra vez se ha ido la luz! Manolo, ¿puedes venir?
Hombre: Pero, Dolores, ¿qué pasa ahora?
Mujer: Pues que le he dado al interruptor y se ha fundido la bombilla.
Hombre: A ver, pásame la linterna, que voy a mirar el enchufe. ¡Ya veo! ¡Está roto! Creo que vamos a tener que llamar a un electricista. ¡Con estos gastos imprevistos es imposible llegar a fin de mes!

Conversación 3

Narrador: Va a escuchar a una pareja de novios que está buscando piso por Internet.
Mujer: Mira, ¿qué te parece este? Es un ático precioso.
Hombre: No sé, no me convence… ¿Y ese? ¡No está mal!
Mujer: Ya, pero da a un patio interior…
Hombre: Es verdad. ¿Y si nos quedamos con el primero que hemos visto? Creo que con una mano de pintura y unos pequeños arreglos puede quedar como nuevo.
Mujer: Tienes razón. Además, su precio no está por las nubes…

Conversación 4

Narrador: Va a escuchar a una mujer que está hablando con un empleado del banco.
Mujer: Pues tengo unos ahorros que quería invertir en algún producto con intereses altos.
Hombre: Tenemos planes de pensiones, depósitos, valores… ¡Ah, y unas acciones que…!
Mujer: Sí, sí, pero yo quiero que mi dinero esté seguro, que no dependa de la bolsa. ¡Ah y quiero disponer de él cuando lo necesite y sin gastos!
Hombre: ¡No se preocupe, señora, haremos todo lo que esté en nuestras manos!

Conversación 5

Narrador: Va a escuchar una conversación telefónica entre dos personas que hablan sobre la reforma de un piso.
Mujer: … Acabo de comprar un piso y quería un presupuesto de reforma. Pensaba cambiar la distribución y hacer nuevos los baños y la cocina, pero necesito ideas.
Hombre: Muy bien, para eso tendría que pasar a verlo. ¿Cómo podemos quedar?
Mujer: Yo puedo por las tardes y el conserje puede enseñárselo a cualquier hora.
Hombre: Pues mañana mismo me paso por allí... ¿Me puede dar sus datos?

Conversación 6

Narrador: Va a escuchar una conversación entre dos personas que se encuentran por la calle.
Hombre: Buenos días, Matilde, qué raro verte por aquí.
Mujer: Ya, Paco, es que estoy en el paro desde ayer.
Hombre: ¡Ay, cuánto lo siento, mujer! ¿Y qué vas a hacer ahora?
Mujer: Pues ir al abogado, al Servicio Público de Empleo, a hacer los papeles para cobrar el paro…
Hombre: ¿Pero no vas a jubilarte?
Mujer: ¡Ya me gustaría! He pensado montar un pequeño negocio. Estoy harta de trabajar de sol a sol para otros.

Pista 8. Tarea 2, p. 38

Juan: No es fácil, porque tienes que encontrar un piso barato y que te guste. Mi situación es más circunstancial que personal: mis compañeros de piso cogieron caminos distintos y me tuve que buscar algo.
Cristina: Conozco en primera persona lo que es vivir sin pareja a partir de cierta edad y teniendo que recomponer tu círculo de amigos, tu círculo social.
Juan: Cuesta mucho vivir solo. Yo he pasado de compartir gastos entre cinco a pagarlo solo yo.
Cristina: En España, un 12% de la población pertenece a este grupo. Es verdad que el *single* sigue saliendo como una necesidad, pero ahora miran mucho los precios y si antes uno iba a tres fiestas al mes, a lo mejor ahora va a una.
Juan: Cuando me mudé, lo primero que hice fue poner un cartel en la comunidad y ver si alguien quería compartir Internet. Ahora lo comparto con el de abajo.
Compras leche, compras lo que sea y te sobra por todos los lados y caducan yogures, natillas… Lo peor es que si quieres comprar barato tienes que comprar paquetes.
Ahora bien, vivir solo tiene muchas ventajas. Primero, yo creo que todos necesitamos vivir solos de vez en cuando y cuando llegas de trabajar y te apetece descansar, lo mejor es estar solo en tu casa, poner los pies en la mesa y que nadie te dirija la palabra.
Cristina: De lo que dispone el soltero es de más tiempo para disfrutar de su ocio.
Parece que la única opción es salir por las noches, a las discotecas… y a partir de cierta edad, no te apetecen tanto esos planes.
Juan: Tienes que organizarte y ser más responsable cuando compartes.
Cristina: Ser *single* tiene grandes ventajas, pero la crisis económica no solo afecta a familias numerosas. Los gastos fijos de una casa son prácticamente los mismos, y afrontarlos con un solo sueldo no siempre resulta sencillo.
319 palabras

Adaptado de Cadena SER, Reportajes de Actualidad.
«La economía de los singles», Adriana Mourelos.

Pista 9. Tarea 3, p. 39

Acento mexicano

Presentadora: Etiqueta en los negocios…
Álvaro: Interesantísimo el tema, porque se ha convertido en una especie de cliché el decir: «¿Qué tal si nos vamos a comer y allá hablamos?», y a veces es contraproducente para la imagen pública y para el negocio.
Presentadora: ¿Por qué?
Álvaro: Porque lo primero que tenemos que saber es qué objetivos tenemos. Si el objetivo es hacer negocios, no hagas comidas de negocios.
Presentadora: Mucha gente hace comidas para socializar...

Álvaro: La pregunta es ¿quiero hacer negocio o quiero agasajar a la contraparte? Después decidirás plantear una comida de negocios, que vayan a tu oficina u organizar un desayuno de negocios. Porque déjenme, les cuento algunos de los beneficios de un desayuno de negocios: es meramente ejecutivo, porque es lo primero que vas a hacer en el día. Luego tienes el compromiso de regresar a la oficina porque tienes citas después del desayuno. No involucra alcohol y por eso se convierte en algo más profesional, no se empieza a soltar la lengua en otros aspectos. Además, es más breve y más fácil de organizar, es difícil que alguien te dé la negativa y, si lo vemos desde la cuestión del negocio, está claro que es mucho más barato.
Presentadora: Bueno, lo del alcohol en mi caso no es aplicable, porque siendo mujer, casi siempre que tengo comidas de negocios con hombres puedo salirme con : «Yo no tomo».
Álvaro: En los negocios no hay género; las buenas maneras prevalecen, lo cual quiere decir que un hombre se comporta igual enfrente de un hombre o una mujer.
Vamos a ver ahora la parte de quién paga. Esto entra en el sentido común: paga quien invita a comer. Quien elige el lugar para comer es el que va a pagar. En cuanto a la reservación y todo eso, se ocupa la persona que al final tiene que pagar, pero en esos casos, la contraparte tiene que hacer el intento, mínimo, de sacar la tarjeta cuando llega la cuenta. Ahí se hace un compromiso no escrito de que después se tendrá otra comida en la que el otro escogerá el lugar y tendrá que invitar.
Presentadora: ¿Quién ordena primero?
Álvaro: Siempre ordena primero el invitado y el anfitrión andará como un maestro de ceremonias. Si tú estás llevando a comer a un restaurante a alguien, puede pedir todo lo que hay en la carta. Muchas veces, por aparentar en estas comidas, se va al restaurante más exclusivo que tiene el platillo tal o la carta de vinos más cara. No está mal visto que el invitado pida el vino o el producto más caro.
Y otra recomendación para cualquier comida, no solo de negocios: no pongan el teléfono celular en la mesa ni anden revisándolo. Hay que apagarlo. Y si tienes que tomar una llamada urgente, te paras y te retiras pidiendo disculpas, pero no lo tomes en la mesa. Tampoco uses palillos, que pareces un mafioso. Todo eso se hace en el baño.
495 palabras *Adaptado de «Etiqueta en los negocios». Martha Debayle entrevista a Álvaro Gordoa. http://marthadebayle.com; www.ivoox.com*

Pista 10. Tarea 4, p. 40

Persona 0 (ejemplo)

Hombre: El salario emocional tiene muchos componentes; toca el tema de las emociones, de las relaciones sociales, no es nada tangible y tiene que ver con las personas. Una empresa no deja de ser un grupo social que se está relacionando constantemente, y tiene una serie de emociones, bien sean de afecto, integración, sentirse correspondido y ser reconocidos. Los ingleses lo describen con tres elementos: apreciar, valorar y darse cuenta.
La opción correcta es la C.

Persona 1

Hombre: La base del salario emocional es que el trabajador se sienta parte de la empresa e implicado con los objetivos y que participe en ellos activamente, no por obligación. ¿Cómo conseguirlo? Hay diferentes mecanismos que pueden aumentar la motivación de un trabajador, hacer que mejore su rendimiento y que no se vaya de la empresa, porque si es difícil encontrar trabajo, también lo es para una empresa encontrar un trabajador cualificado.

Persona 2

Mujer: Este año 43 empresas españolas han conseguido entrar en el *top employers*, una auditoría que se hace para saber qué empresas son las mejores para trabajar. Confeccionan lo que se llama un «menú cafetería», que consiste en ofrecer a los empleados una serie de beneficios para que ellos puedan elegir los que quieran, desde el servicio de guardería en la misma empresa hasta jornadas lúdicas.

Persona 3

Mujer: ¡Qué casualidad! En mi empresa hoy nos han ofrecido hacer horas extra para realizarlas este sábado. En vez de pagarnos con dinero, como se venía haciendo hasta ahora, nos compensarán con una hora y media libre por cada hora trabajada. Todos los que trabajamos lo hacemos por dinero, porque si no recibimos un sueldo a final de mes, quizás nos apuntaríamos en una ONG o realizaríamos un voluntariado.

Persona 4 (acento argentino)

Hombre: A mí me gustaría que si no me pudieran pagar con plata, que me pagasen en tiempo; es decir, esta cosa absurda que tienen tantos trabajos de que tenés que permanecer allí hasta que el jefe se levante y se marche por la puerta, para luego salir corriendo, pues me parece que es el peor de los casos posibles para que haya una productividad favorable en un trabajo.

Persona 5

Mujer: Cuando diseñas un proyecto para un cliente, lo entregas y a veces no lo cobras y al día siguiente hay que volver a por otro proyecto y seguir trabajando, la automotivación es fundamental. Todos trabajamos por dinero, pero,

¿cómo nos auto motivamos cuando tienes impagos, cuando esperas un año para cobrar facturas o cuando la retribución la percibes mucho después de finalizar el proyecto? Eso sí que es salario emocional.

Persona 6 (acento argentino)

Hombre: Trabajo en una empresa que tiene muchísimo trabajo, afortunadamente, pero el trato es pésimo. No valoran para nada el trabajo que hacés y el que hiciste. Muchos de nosotros llevamos muchos años y jamás te lo reconocen, no te valoran, al contrario. Un trato de mala educación. Nosotros querríamos tener un salario emocional, porque en dinero tampoco lo tenemos pero no lo queremos, pero un trato mejor sí.

Adaptado de RNE, «Afectos en la noche». Salario emocional.
http://media4.rtve.es/resources

Pista 11. **Tarea 5, p. 41**

Julio: ¡Hola! Quería darles las gracias, aquí, delante de todos, porque hace dos semanas aproximadamente les llamé contando mi problema: tenía dificultades para encontrar un local de alquiler para crear un comedor social…

Pues gracias a ustedes hemos podido dar con un local. Está situado en la calle Velarde, la antigua churrería Merino, propiedad de D. Alfonso Merino, que no nos cobra alquiler. Llevaba cerrado dos años y pico y simplemente ha sido limpiarlo y acondicionarlo. Este hombre tuvo conocimiento del tema, se lo remitió a su yerno, que es, a su vez, amigo mío y por ahí empezamos a movernos. Ya este lunes empezamos a dar las primeras comidas. Antes de eso tuvimos que movernos a través de las asociaciones de vecinos, para saber más o menos qué tipo de personas podían ser las necesitadas.

El local no reúne los requisitos para cocinar, pero un complejo hotelero se ha ofrecido para dejarnos su cocina a partir de las diez de la noche y nosotros elaboramos la comida allí, nos la llevamos, la calentamos en el local y la servimos en bandejas térmicas.

Actualmente tenemos a 16 personas que se benefician de este servicio. De esas personas hay dos familias completas, y ya estamos encontrando ayuda por parte de una frutería cuyo nombre no voy a dar, porque no quieren que lo haga, ya que lo hacen de forma altruista. Dos supermercados también se han comprometido para, a partir de primeros de mes, ofrecernos productos, así como una pescadería.

Al señor que nos cede el local lo conozco poco, pero es una persona normal y corriente, se ha jubilado, tiene su pensión de jubilación, no vive con mucha anchura tampoco, tiene dos hijos en paro y, sobre todo, es una persona muy decente, porque el que hace esto es, necesariamente, alguien muy bueno y decente.

Empezamos hace tres días. Hemos ido volando y sudando, rápidamente… No se pueden hacer ustedes una idea. Y hoy, por ejemplo, el desayuno ha sido café con leche o Cola Cao con repostería. A mediodía, hemos puesto unas lentejas estofadas, postre, pan y agua. Y esta noche, ha sido un caldo de verduras, un poquito de pollo asado y natillas. Con el dinero que teníamos previsto invertir en el alquiler ya hemos comprado, porque, aunque no lo pidan vemos que lo necesitan, dos o tres pares de zapatillas deportivas, dos juegos de chándal, y hemos encargado a una óptica unas gafas para un señor mayor que las había perdido. Con poquito se puede hacer mucho.

419 palabras *Adaptado de Cadena SER. Hablar por Hablar. http://sdmedia.cadenaser.com*

PRUEBA 3

Pista 12. **Tarea 1, p. 42**

Quedarse sin trabajo cambia bruscamente nuestra vida cotidiana, provocando a menudo desconcierto e inseguridad. A la larga, además, puede acabar por llevarnos al desánimo y a la tristeza. Pese a ello, este momento debe vivirse como una etapa de cambio y desarrollo en la cual debemos adaptarnos a una nueva realidad y comenzar a trabajar para cambiarla. Este momento requerirá esfuerzo, paciencia, flexibilidad, activar contactos y analizar nuestro pasado profesional de manera exhaustiva y sincera. Para lograr este propósito, será fundamental mantener un estado de ánimo optimista, factor clave para detectar y aprovechar las oportunidades que se nos presenten.

Con el fin de gestionar nuestras emociones podemos recurrir al *coaching* personal, acudir a sesiones de motivación o a algo tan sencillo como dialogar con amigos, familiares...

Debemos ponernos en forma física y, emocionalmente, aumentar nuestra energía y prepararnos para la búsqueda. Hay muchas cosas que hacer: un merecido descanso, reflexionar sobre nuestra trayectoria, mirar al futuro, investigar el mercado, actualizar nuestro currículum y nuestros perfiles *on-line*; recopilar información del mercado laboral, quizás formarse, estudiar, buscar ofertas variadas, analizarlas…Y no olvides lo personal: estar con los tuyos, hacer deporte, leer...

Ánimo, no es un camino fácil, pero si lo afrontas con la actitud adecuada estará lleno de descubrimientos. Al otro lado, te espera una oportunidad para ganarte la vida y ser feliz.

220 palabras *Adaptado de http://orientacion-laboral.infojobs.net/quedarse-en-paro*

PRUEBA 2

Pista 13. Tarea 1, p. 59

Conversación 1

Narrador: Va a escuchar una conversación entre dos compañeros de clase.
Jaime: Marina, ¿qué tal te ha salido el examen?
Marina: Bueno..., no del todo mal. ¿Y a ti?
Jaime: ¡Pues fatal! No tenía ni idea de cómo calcular el área... Y creo que me he confundido en la fórmula de la densidad.
Marina: ¡Pero Jaime, si era *superfácil*!
Jaime: Sí, para ti, que se te da muy bien... ¡Yo ya veo que por mucho que estudie...!

Conversación 2

Narrador: Va a escuchar una conversación telefónica entre dos amigos.
María: Hola, Álvaro. ¿Podrías echarme una mano con el ordenador? Se me ha vuelto a bloquear.
Álvaro: ¿Otra vez? Bueno, tranquila. ¿Qué te aparece en la pantalla?
María: Nada. Estaba bajando un archivo y...
Álvaro: Sí, ya... ¿pero puedes mover el cursor?
María: ¡Qué va! Le doy al teclado y no hace nada...
Álvaro: ¡Qué habrás hecho, María! Bueno, fuerza el apagado, reinícialo, y a ver si...

Conversación 3

Narrador: Va a escuchar a una madre que está hablando con un orientador de una universidad privada.
Hombre: Así que su hija quiere estudiar una ingeniería con nosotros...
Mujer: Sí, lo ha intentado en la pública, pero no le ha dado la nota en la Prueba de Acceso a la Universidad. ¡Y eso que había sacado una media de notable en el bachillerato!
Hombre: Ya... Bueno, para entrar aquí tiene que hacer una prueba de acceso... Y es bastante dura. ¡Aquí tampoco le vamos a regalar nada!

Conversación 4

Narrador: Va a escuchar a la delegada de Educación hablando con el representante de una asociación de padres de alumnos.
Mujer: Y como le decía, la política de becas está plenamente asegurada para todos los estudiantes sin recursos que obtengan buenos resultados académicos.
Hombre: ¿Y qué pasaría si por enfermedad o accidente... un alumno suspendiera alguna asignatura? ¿Se quedaría sin beca?
Mujer: Nosotros le garantizamos la escolaridad gratuita en centros públicos hasta los 18 años.
Hombre: Ya, pero entonces no recibiría ayuda económica en un colegio concertado, ¿no es eso?

Conversación 5

Narrador: Va a escuchar a una profesora dando instrucciones a sus alumnos.
Mujer: El trabajo final consiste en una pequeña investigación sobre algún tema no visto en clase. Por supuesto, tenéis que consultar información e incluir las tablas, gráficos y porcentajes necesarios para demostrar vuestros resultados.
Hombre: ¿Lo podemos presentar a mano?
Mujer: Mejor escrito a máquina, en folios blancos por una sola cara y cinco páginas como mínimo. Ah, y tenéis que presentar los resultados en clase.

Conversación 6

Narrador: Va a escuchar una conversación entre una madre y su hijo.
Madre: ¡Ay, hijo, qué disgustada estoy! Ayer me llamó tu tutor y me dijo que, como sigas así, vas a repetir curso.
Hijo: Ya, mamá, es que en el examen de *mates* me quedé en blanco.
Madre: Ya, y lo de hablar por los codos en clase y lo de faltar cada dos por tres tampoco es culpa tuya, ¿verdad?
Hijo: No, es el tutor; que me tiene manía.

Pista 14. Tarea 2, p. 60

Berta: Hace más de veinticinco años que tenemos un profesorado preparado para hacer relajación en clase con los alumnos. Los padres están encantados, y los maestros han comprobado que mejora el rendimiento escolar.
Luis: Los beneficios de estas técnicas se ven sobre todo en cuatro áreas. La primera es la salud, porque disminuye el estrés, el malestar. En segundo lugar, aumenta todas y cada una de las competencias emocionales, como la autoestima. En tercer lugar, mejora la convivencia en el clima del aula, porque los que practican estas técnicas generan una mejor predisposición para el trabajo y, al final, esto revierte en el resultado académico.

Berta: Y ahí está la labor importante, creo, de los educadores. No se trata solo de que los alumnos tengan mejor currículum, sino de estar pendientes de ellos, de sus éxitos. Los éxitos no vienen porque el niño aprenda Matemáticas, sino porque aprenda de sí mismo y encuentre una fuerza interior que le lleve a hacer bien las matemáticas.
Luis: Hace años descubrí que los recursos psicofísicos que utilizan los métodos de relajación con rigor científico son: la atención, la respiración, la visualización o *imagine*, la conciencia sensorial, la postura, la percepción de la energía corporal, que nos asustaba hace unos veinte años y hoy está en el candelero de las investigaciones, y el movimiento consciente. El docente los aprende poco a poco y luego los maneja *ad hoc* en clase.
Berta: Tenemos una sociedad con un analfabetismo emocional increíble y las emociones bloquean muchísimo el aprendizaje. Los profesores tienen que hacer todo un trabajo para motivar a esta gente.
Luis: Cualquiera es excelente en cosas que la escuela no acaba de medir. Yo he tenido tutorías donde el único niño que cocinaba de toda la clase lo suspendía todo. No puede haber éxito social si hay fracaso interior, si estoy mal conmigo mismo. En *La Vanguardia* un empresario decía algo precioso: «Nos contratan por el currículum y nos echan por el carácter».
326 palabras *Adaptado de «Técnicas de relajación en clese». RTVE. www.rtve.es/alacarta*

Pista 15. Tarea 3, p. 61
Presentador: ¿Por qué la gente acude a Houston y se gasta el dinero que a menudo no tiene para buscar un remedio que puede encontrar aquí?
Mariano Barbacid: Bueno, en parte estamos hablando de hace unos años. Hoy en día, no hace falta salir de España para tratar un cáncer.
Presentador: Claro, y la mitad de los enfermos se cura de determinados cánceres…
M.B.: Sí, por supuesto, y además me alegra que hayas mencionado muchos cánceres. A ver si en la Academia de la Lengua encuentran una fórmula para llamarlo en plural, no en singular, cánceres, porque hay más cánceres que enfermedades infecciosas, y sin embargo nadie confunde una gripe con un sarampión. Como decías, el cáncer se puede curar, pero lo que debemos decir es que hay cánceres que se curan en mayor proporción y otros que se curan en menor proporción.
Presentador: Doctor, pero viendo esa imagen donde hay un cartel que dice *Se ruega no fumar…* ¿algunos cánceres nos los buscamos?
M.B.: Esa es una de las grandes tragedias, porque el cáncer forma parte de nuestra vida, es decir, no podemos hacer nada por evitarlo: cáncer vamos a tener. Cuanto más vivamos más probabilidades habrá, como principio general. Ahora bien, el cáncer de pulmón inducido por el tabaco es perfectamente evitable si dejáramos de fumar. Y que todavía haya un dilema, una controversia sobre este tema es increíble. Yo digo siempre que si mañana nos enteráramos de que un producto en el mercado era la cuarta parte de dañino que el tabaco, habría un escándalo.
Presentador: ¿En qué atmósfera se desenvuelve el trabajo del científico? Pensamos que sois personas muy serias, muy sesudas, que se aíslan…
M.B.: Somos personas normales, pero sí, evidentemente, hay un ambiente de creatividad, de competitividad, porque en nuestro mundo, el publicar algo tres meses antes que otro es fundamental. Y, sobre todo, vocación, disfrutar con lo que haces. En lo demás no somos nada especiales.
Presentador: ¿El nivel de la investigación en España es bueno?
M.B.: Creo que es bueno, aunque faltan investigadores. La investigación tiene un sistema administrativo muy rígido pero el CNIO[1] no tiene que utilizar ese procedimiento, sino que actuamos gracias a un mecanismo que nos permite gran flexibilidad creativa. Como todo, creo que es mejorable, pero pienso que España, poco a poco, va llegando al lugar que le corresponde.
Presentador: ¿Qué es más dañina, la enfermedad de la burocracia o la de la envidia?
M.B.: A mí me haría más daño la de la burocracia, porque es la que me impediría trabajar. La envidia puedes ignorarla.
Presentador: ¿Es Mariano Barbacid modesto o tímido?
M.B.: Hay una forma de ser modesto: salir fuera de España. Uno va a un congreso internacional, se encuentra con grandes figuras y la modestia vuelve inmediatamente. No es falsa modestia: no es bueno creer que uno contribuye de una forma excepcional a algo… Hay que seguir trabajando. Mira, mientras hay cáncer, hay que seguir investigando y no quedarse dormido.
498 palabras *«En noches como esta». RTVE. www.rtve.es/alacarta/*

---

1 CNIO: Centro Nacional de Investigaciones Oncológicas.

Pista 16. Tarea 4, p. 62

Persona 0 (ejemplo)

Mujer: El primer aspecto más común y transversal que nos permiten los mundos virtuales dentro de la educación es la posibilidad de comunicarnos. Cuando hablamos de comunicarnos lo primero que pensamos es en el chat. Los mundos virtuales llevan siempre asociado un chat escrito, es decir, nosotros escribimos nuestro mensaje y los otros usuarios ven el mensaje y nos pueden contestar.
La opción correcta es la I.

Persona 1

Hombre: Otra posibilidad educativa de los mundos virtuales sería la simulación. Podemos simular entornos que copian o se parecen a escenas existentes en el mundo real. Ahora estoy imaginando, por ejemplo, una simulación espectacular que existe en Second life sobre la antigua Roma, donde todos los avatares van vestidos de romanos y las conductas que tienes que tener son las propias de un romano antiguo o de otras culturas.

Persona 2

Hombre: Otra capacidad de los mundos virtuales sería la construcción en 3D. Lo primero que pensamos es en construir un edificio, pero podemos hacer muchas otras cosas, como por ejemplo reproducir una obra de arte en tres dimensiones. Estoy pensando en unas reproducciones fantásticas que hay de unos cuadros de Van Gogh, donde el avatar está dentro del propio cuadro y puedes reproducir los distintos elementos de esa obra de arte.

Persona 3

Mujer: Nosotros, como profesores, podemos tener un registro de todo lo que se ha chateado, lo cual es muy útil. Esta mañana estábamos con una actividad dentro de un mundo virtual, con una clase de Latín, de Cultura Clásica, donde los alumnos tenían que comunicarse en latín, entonces el profesor tenía el registro de todo lo que sus alumnos habían escrito durante la actividad y luego lo podía valorar o corregir.

Persona 4 (acento argentino)

Hombre: Para menores de 18 años, existen otras plataformas mejores que Second Life. Una de las que actualmente tiene más difusión es OpenSim, casi idéntico a Second Life, pero tiene una escalabilidad, que dicen los informáticos, mucho mayor: podemos trabajar con uno en un *pendrive*, o compartirlo con la gente de un aula, o bien colgar la plataforma en Internet y permitir entrar a más usuarios.

Persona 5

Hombre: En mi instituto tenemos un mundo virtual con nueve islas. Cada isla se corresponde con una asignatura. Los alumnos se conectan solo desde dentro del instituto y cuando los profesores ponemos en marcha la plataforma los alumnos entran para hacer actividades concretas de cada asignatura o isla. Intentamos que estos mundos no sean algo externo al currículo o a nuestras clases.

Persona 6 (acento argentino)

Hombre: Nos da miedo entrar en un mundo virtual o entorno 3D; para nosotros es nuevo, pero para los alumnos no. Cuando haces cursos de formación para compañeros cuesta más que para los alumnos. Por ejemplo, hicimos una tarea de lengua en la que una de las actividades era crear una exposición con sus grabaciones de poemas dentro de un edificio en 3D. ¡Pues aprendieron rápido y salió bárbaro!

Adaptado de http://internetaula.ning.com

Pista 17. Tarea 5, p. 63

Superman es, sin duda, junto a Batman, el superhéroe estrella de una de las editoriales importantes en esto de los superhéroes, DC Cómics. Bueno, pues hoy nos toca otra de las grandes editoriales de cómics, Marvel, con *Los cuatro fantásticos*, creados por Stan Lee y Jack Kirby en noviembre de 1961. En el número uno de *Los cuatro fantásticos* se contaban las desventuras del cohete experimental diseñado por el científico Dr. Richards, al atravesar una tormenta de rayos cósmicos en su vuelo de prueba. Al llegar a la Tierra, los cuatro pasajeros de la nave, incluido el científico creador de la misma, descubren que habían sido transformados y que poseían nuevas e inquietantes habilidades: un hombre de goma, una mujer invisible, una antorcha humana y algo con más ladrillos que una urbanización en Marbella[2], que se llamaba *La cosa*.

¿Y qué son los rayos cósmicos? Son partículas cargadas que viajan por el Universo a una velocidad cercana a la de la luz. El campo magnético terrestre y la atmósfera nos protegen de esta lluvia continua, pero en cualquier caso todos los días chocan contra la atmósfera terrestre, y al hacerlo se descomponen en otras partículas secundarias menos energéticas. Si ahora mismo levantamos las manos durante unos diez segundos, unos doce de estos rayos cósmicos secundarios las atravesarán sin que nos demos cuenta.

2 Marbella: localidad situada en Málaga (Andalucía).

Podemos distinguir entre tres tipos de rayos cósmicos, según su energía y su origen. Por un lado tenemos los rayos cósmicos más comunes, que son los procedentes del Sol, también conocidos como viento solar. Son los menos energéticos, tan solo veinte veces la energía de los rayos X con los que nos hacen una radiografía.
Por otro lado, las explosiones de las estrellas *supernovas* son las que generan rayos cósmicos. Estas estrellas expulsan gran parte de su materia y de su masa. Estos rayos cósmicos tienen asociada una energía, atención, como de unas 20 000 radiografías en un ratito.
Por último, están los rayos cósmicos ultra energéticos, que son muy escasos, con una media de uno por km^2 cada siglo, pero con una energía del orden de uno con diez ceros detrás. Me niego a decir cuántas radiografías es eso. Su origen es aún una incógnita, ya que no conocemos el proceso físico que pueden provocar estos rayos cósmicos de inmensa energía.
¿Cómo afectarían semejantes balas cósmicas al cuerpo humano? ¿Harían realmente que nuestro cuerpo pareciera de chicle usado, como el de Reed Richards? Pues sabemos que las partículas de los rayos cósmicos son lo suficientemente pequeñitas y energéticas como para introducirse en nuestras células y dañar el ADN que estas contienen, lo cual, a la larga, puede generar cáncer o mutaciones genéticas que se podrían transmitir a nuestra descendencia.
460 palabras *Adaptado de «A través del Universo. Superhéroes y astrofísica». http://universo.iaa.es*

PRUEBA 3

Pista 18. Tarea 1, p. 64

La comisaria europea de Educación y Cultura, Androulla Vassiliou, ha avisado este lunes a los ministros de Educación de los Veintisiete de que los intercambios de estudiantes universitarios financiados por el programa Erasmus podrían interrumpirse a lo largo del año que viene si no hay acuerdo sobre el presupuesto de la Unión Europea.
«La combinación de la falta de respuesta sobre el presupuesto de 2012 y la falta de acuerdo presupuestario para 2013 significa que la interrupción de los intercambios Erasmus se producirá más pronto que tarde en el nuevo año», ha dicho Vassiliou.
«La situación de Erasmus es ahora muy grave», ha resaltado la responsable de Educación. El Ejecutivo comunitario empezará 2013 con una deuda de 220 millones dc curos con las agencias nacionales responsables por los gastos de Erasmus y del programa de aprendizaje permanente, ha explicado.
Esta deuda podría saldarse con el presupuesto de 2013, pero ello provocaría que el programa se quedara de nuevo corto de fondos durante la segunda mitad del año.
«Creo firmemente que no deberían ser los jóvenes europeos los que paguen el precio del actual desacuerdo entre las instituciones», ha indicado Vassiliou.
La Comisión Europea ha pedido a los Estados miembros que aporten 9 000 millones de euros extra este año para cubrir las facturas pendientes de Erasmus y fondos regionales. Pero los países contribuyentes se niegan y piden a Bruselas que redirijan dinero de otras partidas.
234 palabras *Adaptado de http://ecodiario.eleconomista.es*

EXAMEN 4. Ocio, compras y actividades artísticas

PRUEBA 2

Pista 19. Tarea 1, p. 81

Conversación 1

Narrador: Va a escuchar a dos amigos hablando sobre una fiesta.
Hombre: ¿Y qué tal ayer tu cumpleaños?
Mujer: Lo pasamos en grande. Me prepararon una fiesta sorpresa: ¡Qué risa, iban todos disfrazados de japoneses! Habían comprado una buena carne pero le echaron tanta sal que… el cocinero acabó en la piscina. Y los demás, también.
Hombre: ¡Qué divertido! ¿Y terminasteis muy tarde?
Mujer: No lo sé... Yo me acosté, pero algunos salieron de juerga por ahí.

Conversación 2

Narrador: Va a escuchar una conversación telefónica sobre una reserva de entradas.
Mujer: Buenas tardes, ¿en qué puedo ayudarle?
Hombre: Buenas, quería reservar dos entradas para la función de este jueves.
Mujer: Lo siento, es el estreno y está todo cogido.

Hombre: Pues entonces..., para el próximo. ¿Podría darme unas butacas centradas y en las primeras filas?
Mujer: A ver... Sí, ya las tiene. Puede recogerlas en taquilla media hora antes de la representación. ¿Su nombre, por favor?

Conversación 3

Narrador: Va a escuchar una conversación sobre deportes.
Mujer: ¿Sabes qué hizo ayer Ferrer?
Hombre: Pues lo eliminaron.
Mujer: ¡Qué pena!, ¡con lo bien que iba en el torneo! ¿Y qué sabes del Real Madrid?
Hombre: Hoy entrena para el partido de mañana. Y lo tiene difícil, porque no le vale con un empate. Necesita ganar para clasificarse. Y juega fuera de casa.
Mujer: ¡Pues ojalá vayan muchos aficionados para animar al equipo, porque si no...!

Conversación 4

Narrador: Va a escuchar una conversación entre dos personas que están jugando.
Mujer: ¡Venga, tira los dados rápido y mueve tu ficha, que te voy ganar!
Hombre: ¡Qué dices, si te acabo de comer dos fichas y solo te queda una!
Mujer: ¡Claro, como es la primera vez que juego, te aprovechas de mí! ¡Eres un tramposo!
Hombre: ¡Ya te he ganado!
Mujer: Puf... Oye, ¿vas a la calle? ¿Me compras un décimo? A ver si con la lotería tengo más suerte.

Conversación 5

Narrador: Va a escuchar una conversación mantenida en una tienda.
Mujer: ¿Qué tal me quedan?
Hombre: No sé, un poco ajustados...
Mujer: Ya, pero son elásticos y seguro que dan de sí con el uso.
Hombre: Tú verás... ¿Por qué no te pruebas los estampados del escaparate? Parecen más amplios y cómodos.
Mujer: Ya, pero no me convencen... Decidido, me quedo con estos... Voy a pedir que me arreglen el bajo, que me quedan muy largos.
Hombre: ¡Como quieras!

Conversación 6

Narrador: Va a escuchar un concurso radiofónico sobre temas culturales.
Mujer: Primera pregunta, ¿Quién fue el director y uno de los guionistas de la película *Mar adentro*?
Hombre: Lo sé; Alejandro Amenábar.
Mujer: ¡Correcto! Siguiente: *El Guernica* de Picasso, ¿es un óleo o una acuarela?
Hombre: ¡Um...! Creo que un óleo.
Mujer: ¡Correcto! ¿A qué estilo artístico pertenece la fachada de la catedral de Santiago?
Hombre: Puf... aquí me han pillado... ¿Gótico?
Mujer: ¡No...! ¡Barroco! ¡Lo siento! Ha quedado eliminado.

Pista 20. Tarea 2, p. 82

Ramón (acento mexicano): Creo que la televisión no es la causa primordial por la que la gente no lee. Existen muchos motivos más como el Internet. Creo que no se debe satanizar la televisión y pensar que es la causante de todos los problemas de incultura, porque también las instituciones educativas deben forjar a los estudiantes y proveerlos de capacidades que los hagan superarse como personas.
Jessica (variante española): Yo sí creo que la televisión ha afectado a los hábitos de lectura, ya que las nuevas generaciones pasan más tiempo frente al televisor que haciendo otras cosas como leer, convivir con los familiares, o simplemente realizar actividades deportivas o físicas.
En ocasiones la televisión sirve como elemento educativo, pero esto es en casos muy remotos donde el contenido es meramente educacional.
Ramón: La falta de lectura en México se debe a varios factores, entre ellos la economía. Un hombre que trabaja más de 8 horas como jornada laboral diaria no tiene tiempo de leer un libro y prefiere la televisión, que le va a dar a conocer temas digeribles que no lo hagan esforzarse aún más después de su esfuerzo físico y mental de todo el día. Para el mexicano es indispensable laborar más de 8 horas diarias para sostener a toda una familia debido a la situación económica del país; en cambio, si hablamos de Inglaterra, por ejemplo, el índice de personas que recurren a la lectura es más alto, porque tienen mayores posibilidades económicas y más tiempo.
Jessica: No creo que el factor económico afecte a la falta de lectura, más bien se debe a un factor educacional que tiene todo un bagaje cultural muy profundo. Quizás en las escuelas no promueven mucho el hábito de la lectura, pero también en las casas deben promoverlo.
306 palabras *Adaptado de «Los hábitos de lectura en México y España». www.convinceme.net/debates*

Pista 21. Tarea 3, p. 83

Julia Otero[3]**:** Sr. Blahnik, buenas tardes. Lleva usted ya mucho tiempo fuera de España, ¿verdad?

Blahnik.: Sí. Antes siempre venía a ver a mi madre y por eso la conozco a usted. A mi madre le gustaba mucho escuchar sus programas.

J.O.: Muchas gracias. No puedo corresponderle diciendo que tengo unos *manolos*, estos zapatos creados por usted, pero ahora que tenemos tienda en Barcelona… Es la segunda tienda que abre usted aquí, ¿no? La primera está en Madrid, semiescondida en un edificio de la calle Serrano, la de Barcelona que hoy se inaugura está dentro del hotel Mandarín. Es curioso que huya de los escaparates y de la ostentación…

Blahnik.: Soy una persona bastante discreta y por eso me encantan esos sitios para las tiendas.

J.O.: ¿Cuál fue la primera estrella de Hollywood que empezó a hablar de usted?

Blahnik.: Fue en los años 60: Bianca Jagger… no sé, y otras tantas mujeres que no eran actrices. Porque después vinieron Rachel Welch, etcétera.

J.O.: ¿Que a sus zapatos les llamen *manolos* le parece bien?

Blahnik.: La verdad es que en España siempre lo relaciono inconscientemente con nombres de toreros o de bares: el bar *Manolo*… pero fuera de España se ha convertido en algo normal.

J.O.: ¿Qué tienen en común una mujer que se compra sus zapatos en Indonesia, en España o en Nueva York?

Blahnik.: Es una mujer que sabe lo que quiere, con un concepto de la elegancia determinado.

J.O.: En estos momentos de crisis en buena parte del planeta, sus zapatos indican lujo…

Blahnik.: Sí, pero la gente que compre uno de mis zapatos va a comprar en su vida uno o dos pares, y le van a durar muchísimo.

J.O.: ¿Cuántos años pueden durar?

Blahnik.: Mis zapatos son un poco intemporales.

J.O.: ¿Cuándo diseñó el primer zapato?

Blahnik.: Cuando yo era pequeño eran los años 40 y no había muchos productos. Mamá fabricaba sus propios zapatos, con tela, etc., y ese fue el único contacto que tuve cuando empecé a hacerlos.

J.O.: ¿Cuánto cuestan los *manolos* más baratos?

Blahnik.: Del precio no sé absolutamente nada, pero sí sé que es un zapato que se tarda mucho en hacer y el precio tiene que ser elevado.

J.O.: Deduzco que se hacen artesanalmente…

Blahnik.: La mayoría están hechos a mano, pero algunos, como los que tienen el tacón bajo, pueden ser montados a mano y el tacón a máquina.

J.O.: ¿Cuál es el tacón más alto? ¿Doce centímetros?

Blahnik.: Puede ser, no sé exactamente.

J.O.: No sabe la altura, no sabe cuánto cuestan… El creador que vive en una burbuja y no quiere saber nada de la intendencia.

Blahnik.: No me gustan mucho los negocios ni la parafernalia.

J.O.: Otro día a ver si puede usted venirse al estudio y hablamos con más tranquilidad.

Blahnik.: Encantado. Como le he dicho, la sigo desde hace mucho y me gusta su inteligencia.

J.O.: Muchísimas gracias, Sr. Blahnik.

507 palabras

Adaptado de «Julia en la Onda». Onda cero.
www.ondacero.es

Pista 22. Tarea 4, p. 84

Persona 0 (ejemplo)

Hombre (acento rioplatense): Cada vez queda más patente que las nuevas tecnologías están invadiendo todos los conceptos de nuestra vida y no solo eso; gente que hasta hace unos años opinaba aquello de que *todo esto de los ordenadores y el Internet no está hecho para mí*, hasta cierto punto se ve «obligada» a sumergirse y adaptarse a este nuevo mundo.

La opción correcta es la A.

Persona 1

Hombre: Más útil e interesante me parecería el proyecto Street Museum si, por ejemplo, pudiera hacerse en ciudades como Roma o Grecia, que permitiera ver lo que fue la antigua ciudad antes de verse en ruinas. Esto nos daría una visión impagable de una realidad a la que no podríamos asomarnos de otro modo.

---

3 Julia Otero: periodista muy conocida en España. Ha hecho programas de televisión, pero se dedica fundamentalmente a la radio.

Persona 2
Mujer: Estoy de acuerdo, las «maquinitas» transforman los hábitos culturales. Pero no es algo tan nuevo como para atribuirlo a la llegada a nuestras vidas de las *tablet* o los móviles. Al igual que dice el artículo que *las cartas dieron paso a los correos electrónicos y estos a Twitter,* los museos ya se podían visitar virtualmente antes de la llegada de los últimos avances tecnológicos.

Persona 3

Hombre: Pero si hablamos de accesibilidad y universalización de la cultura, no podemos dejar de proclamar la necesidad de eso que se ha dado en llamar *diseño para todos*, es decir, un acceso a la tecnología que no excluya a los grandes grupos siempre olvidados, como los mayores y personas con bajo nivel cultural o económico. El reto para el futuro es ser capaces de extenderlo a todos.

Persona 4 (acento rioplatense)

Hombre: Los museos no se han quedado atrás. Se han ido adaptando a las diferentes novedades tecnológicas y soportes. Y ahora en lugar de incluir solo las imágenes que les permitía un CD, cuentan con un potente canal de video que ofrece una amplísima colección de contenidos audiovisuales. Sin duda se trata de un avance, pero no de una novedad, ni de una transformación de los hábitos culturales.

Persona 5

Mujer: La iniciativa del Museo de Londres con la aplicación de Street Museum me parece un claro ejemplo de que mediante las nuevas tecnologías no se para de renovarse e inventar. Además de tratarse de una idea original, los que presumen de «culturetas» no pueden echar en cara a nadie una iniciativa que te educa y te da a conocer datos que ignorabas.

Persona 6 (acento mexicano)

Hombre: Es obvio que este acceso a la cultura es imperfecto, pues nunca podrá sustituir la maravilla de encontrarse ante una obra original que puedes tocar, oler y sentir en toda su magnitud, pero es muy interesante para todo aquel que no puede acercarse a la creación artística personalmente. No se trata tanto de un cambio de hábito en el acceso a la cultura como de una universalización de la misma.

Adaptado de «Los cacharros transforman los hábitos culturales».
www.dosdoce.com/articulo

Pista 23. Tarea 5, p. 85
Las primeras técnicas fotográficas no tienen nada que ver con las de ahora. A muchos se nos viene a la mente esa imagen de una cámara de madera con trípode, desde donde el fotógrafo, tras el objetivo, tapándose la cabeza con una cortina, tomaba una imagen de los presentes. En el siglo XIX, en la época victoriana, la forma de tener una imagen de un ser querido solo podía ser por medio de un cuadro, lo cual tomaba su tiempo. Además, no todo el mundo tenía la oportunidad de hacerse un retrato pintado, de modo que cuando apareció la fotografía fue una auténtica revolución, ya que era un modo rápido de tener un recuerdo de las personas, aunque acabaran de fallecer, y así fue como nació la fotografía post mórtem. Hoy estamos insensibilizados ante fotos realmente crueles que vemos a diario en los medios de comunicación, pero ante esta costumbre, la gente suele mostrar rechazo. El concepto que tenemos ahora sobre la muerte es muy diferente al que tenían aquellas personas. Para ellos, la muerte era algo cotidiano, ya que se daban casi tantos fallecimientos como nacimientos. Además, fotografiar a un ser querido difunto era una forma de conservarlo en la memoria. Tenían quizá una visión más romántica del asunto. Hacer una fotografía en esa época era un servicio bastante costoso, puesto que el fotógrafo tenía que trasladarse a casa del difunto con todo su equipo fotográfico. No obstante, esto no justificaba los precios desorbitados que algunos fotógrafos cobraban por esos servicios. Por esa razón, fueron en primer lugar las familias adineradas y de clase media-alta las que pudieron permitirse el lujo de contratarlo. Cuando se inventó el negativo y se podía hacer más de una copia de un original, se convirtió casi en una costumbre obligada, lo que llevaba a muchos a aceptar precios algo abusivos, quisieran o no, ya que la ocasión no admitía espera.
Las primeras fotos se tomaban con una máquina llamada daguerrotipo, que se inventó en 1839. A partir de una exposición en la cámara, el positivo, mediante mercurio, quedaba plasmado y la imagen se fijaba después sumergiéndola en una solución química. El tomar una fotografía con el daguerrotipo tenía algunos inconvenientes; el primero era el tiempo de exposición, que iba de 15 a 30 minutos. Imagínese, hoy en día, que se va a tomar una foto y tiene que pasar todo ese tiempo posando… impensable…; otro inconveniente de estas cámaras era que al no tener negativo no se podían hacer copias; además la fotografía resultaba bastante frágil; pero lo más destacable era que uno se veía expuesto a los vapores de yodo y mercurio, algo terrible para la salud. Quizá por eso los difuntos eran los mejores modelos. Más tarde, como he comentado, la fotografía avanzó y con ello se añadió la costumbre de repartir reproducciones de la foto o recuerdos entre los familiares que vivían lejos.
481 palabras

«Mundo incógnito». Fotografías post-mortem.
http://mundoincognito.wordpress.com/radio/

PRUEBA 3

Pista 24. Tarea 1, p. 86

Me llamo Carlos Vaquerizo y soy fotógrafo profesional de bodas desde hace más de quince años.
La intención de este *podcast*[4] no es solo hablar de fotografía, sino compartir con todos vosotros un montón de ideas, consejos, sugerencias, tendencias, para que de este modo vuestra boda resulte aún más especial si cabe.
Digo esto porque en el mundo audiovisual se está produciendo un cambio imparable. Afortunadamente, al menos en mi opinión, y tras muchos años de una fotografía, digamos, clásica, posada, de típica boda, hace unos pocos años comenzó una pequeña revolución que ha terminado creando lo que se conoce como «fotoperiodismo» de bodas. Cierto es que este es un término demasiado amplio y no muy apropiado, pero parece que todos entendemos a lo que nos referimos cuando hablamos de ello: fotos muy naturales, sin poses rígidas, con poca intervención del fotógrafo durante la boda, siempre buscando momentos, emociones que reflejen lo mejor posible la esencia de los novios y su boda.
En siguientes capítulos hablaré detenidamente de estos estilos de fotografía, de otros que también existen en el mercado, de las diferencias entre unos y otros, de sus principales representantes, e incluso contaremos con la colaboración de alguno de ellos. Yo mismo tengo muchas experiencias que puedo compartir con vosotros.
Para responder a tus preguntas tenemos por delante muchos más capítulos. No dudes en ponerte en contacto conmigo a través de mi correo carlos@carlosvaq.com o busca en Facebook la página *Tu boda.*

245 palabras — *Adaptado de www.ivoox.com/podcast-tu-boda-fotografia*

CD II - TRANSCRIPCIONES

EXAMEN 5. Información, medios de comunicación y sociedad

PRUEBA 2

Pista 1. Tarea 1, p. 103

Conversación 1

Narrador: Va a escuchar a dos personas hablando sobre una información.
Hombre: ¿Te has enterado de lo de María Tenorio…?
Mujer: ¿La cantante? Cuenta, cuenta…
Hombre: Pues dicen que está saliendo con el torero Julio Romero.
Mujer: ¡Me dejas de piedra…! Pero si ella es mucho mayor que él… Y además, se ha quedado viuda hace poco.
Hombre: Ya, pero es una mujer encantadora y muy atractiva…
Mujer: Uf, ¡cómo van a estar esta semana las revistas del corazón…!

Conversación 2

Narrador: Va a escuchar una conversación que tiene lugar en el portal de una casa.
Hombre: Buenas tardes, Sra. de Alonso. Aquí tiene su correspondencia. Por cierto, le ha llegado un correo certificado; pero no lo han dejado porque se lo tienen que entregar en mano.
Mujer: Muchas gracias, Víctor. Espero que no sea ninguna multa de tráfico, porque mi hijo me mete en cada lío cuando me coge el coche… ¡Y ahora tengo que ir hasta Correos, que está en el quinto pino…!
Hombre: Lo siento, señora.

Conversación 3

Narrador: Va a escuchar una conversación telefónica.
Mujer: Quería poner una reclamación porque en el recibo aparece una llamada de 18 € desde Alemania que yo no he hecho.
Hombre: Pues aquí nos consta que usted aceptó una llamada a cobro revertido desde ese país el día 7 de abril.
Mujer: ¡Pues no me lo explico…!
Hombre: ¿Y no habrá sido algún familiar o…?
Mujer: ¡Pero ya le he dicho que eso es imposible, porque vivo sola!

Conversación 4

Narrador: Va a escuchar una conversación sobre una noticia.
Mujer: ¡Pero si la noticia ha aparecido en todas las portadas con titulares así de grandes! ¡Cómo es posible que no te hayas enterado!

---

4 Podcast: audio.

Hombre: Es que me acabo de despertar…
Mujer: ¿A estas horas?
Hombre: Es que esta noche no he podido pegar ojo.
Mujer: Sí, realmente tienes muy mala cara… Pero, venga, enciende la tele, que empieza la rueda de prensa del ministro.

Conversación 5

Narrador: Va a escuchar una conversación entre una madre y un hijo.
Mujer: Guille, hijo, deja ya de zapear y ponme la 8, que quiero ver las noticias…
Hombre: Ya, es que estoy viendo las carreras de motos y el partido de Nadal…
Mujer: Anda, vete a estudiar… y deja ya el mando.
Hombre: Pero si ahora en la 8 ponen un documental y además hay anuncios, mira.
Mujer: ¿Lo ves? ¡Has metido la pata! ¡Ya han empezado las noticias…! ¡Uf…!

Conversación 6

Narrador: Va a escuchar una conversación entre una abuela y su nieto.
Mujer: Jaime, ¿cómo puedo encontrar el documento?
Hombre: Pues, mira, abuela… Primero tienes que entrar en esta página, ¿ves?; y luego pinchas en este enlace azulito… ¡Y ya está!
Mujer: ¡Qué maravilla! Oye, ¿y para hablar con tu hermano en Alemania?
Hombre: Pues por videoconferencia… ¡Es muy fácil! Ahora te lo explico. ¿Conseguiste instalar el antivirus?
Mujer: Sí, de casualidad. Bueno, me ayudó tu madre…
Hombre: ¡Abuela, estás hecha una experta!

Pista 2. Tarea 2, p. 104

Iker: Hay trabajos y documentales que nos cuentan cosas increíbles, alucinantes pero, misteriosamente, nadie ha reaccionado ante ellas hasta que ha aparecido Zeistgeist. ¿Creéis en las teorías de la conspiración en la Red? En las redes, el 89,7% cree en ellas, frente al 10,3 % que no. Esos argumentos se han convertido en vídeos, que han usado la red para llegar a todos. El documental Zeistgeist ha tenido tantas visitas que ya no es solo un documental, sino un movimiento social.
Soledad: En Zeistgeist hay un dato muy importante en la ficha técnica: la dirección, el guion, el sonido y el montaje están hechos por Peter Joseph; y todo ello con medios técnicos muy escasos. Cincuenta millones de visitas han resucitado la idea de que una sola persona, gracias a Internet, puede conmover a millones de conciencias, por medio de un documental, maravilloso para unos y terrible para otros.
Iker: Lo que pasa es que estamos viviendo cambios brutales en la información. La Red es una ventana abierta al mundo, a veces peligrosa, puesto que parece que no hay filtro alguno.
Soledad: Zeistgeist está dividido en tres partes a cual más polémica. En la primera parte, dice que Jesús de Nazaret no es más que la unión del mito del dios solar y otros mesías nacidos el 25 de diciembre. Hay datos de otros autores que vienen a decir esto mismo, pero no hubo respuesta ni a favor ni en contra por parte de teólogos y otros expertos. Entonces llega Zeistgeist y tiene 50 millones de visitantes, sin publicidad en los medios; su autor prácticamente no ha dado entrevistas ni conocemos su cara y sin embargo, la respuesta a este documental ha sido tremenda desde el mundo académico, religioso, etcétera.
Iker: El vídeo no aporta nada nuevo, pero la presentación, muy emotiva, el ritmo, casi apocalíptico, son tremendamente eficaces. El vídeo es muy *amateur*, pero… ¿Por qué triunfa Zeistgeist?
320 palabras *Adaptado de Milenio3. «Conspiración en la Red: Zeistgeist». Cadena SER.*
www.ivoox.com

Pista 3. Tarea 3, p. 105

Presentadora: Faltan pocos días para que lleguen los Reyes Magos cargados de regalos. Algunos, los más afortunados, ya habrán recibido la visita de Papá Noel, y entre el amplio catálogo de regalos que se puede hacer tanto a grandes como a pequeños, siempre se cuelan los videojuegos. Hablamos con Carlos Iglesias, secretario general de aDeSe, Asociación Española de Distribuidores y Editores de Software de Entretenimiento; buenas tardes.
Carlos Iglesias: Buenas tardes.
Presentadora: ¿Qué momento atraviesan las empresas de creación de videojuegos en nuestro país?
CI: Hablando de consumo más que de producción, atraviesan un buen momento. A pesar de las circunstancias que todos conocemos, la disminución del consumo de todo tipo de bienes, existe un crecimiento del consumo familiar de este tipo de ocio, integrado en el hogar como una opción más de entretenimiento.
Presentadora: ¿Y desde el punto de vista de la creación?

CI: Pues el momento es difícil y las circunstancias actuales lo hacen aún más difícil. Pretendemos evitar que la crisis nos afecte y convertir nuestro país no solo en un lugar consumidor de videojuegos, sino también creador y productor.
Presentadora: Porque los creativos que hay en nuestro país siguen trabajando para empresas extranjeras…
CI: Lo cierto es que no hay una industria importante que tenga conocimientos en esta área y los creativos tratan de irse a una compañía donde tengan posibilidades de desarrollo profesional. Por eso hace falta crear aquí una estructura suficientemente atractiva como para que esos profesionales se queden y puedan desarrollar su carrera en videojuegos de procedencia española.
Presentadora: Se habla mucho del problema de la piratería tanto en la música como en las películas, pero también los videojuegos sufren la piratería, ¿no?
CI: Todos los medios digitales están condenados a ser descargados de Internet y, por tanto, también los videojuegos.
Presentadora: ¿En cuánto se calculan las pérdidas?
CI: Eso es difícil de calcular, sobre todo porque gran parte de la piratería se produce *on-line*, y es casi imposible de controlar. Hace años se trataba de productos físicos, pero actualmente es imposible cuantificar el volumen de descargas reales en España. Podemos decir que somos uno de los países con mayor número de descargas del mundo, por tanto el nivel de piratería es tremendamente preocupante y podríamos hablar del 50 o 60% del total del consumo de videojuegos.
Presentadora: Hay gente que opina que los videojuegos, por su contenido violento, pueden ser perjudiciales para los niños. ¿A usted qué le parece?
CI: Yo creo que se va superando esa opinión y ya queda lejos esa negatividad hacia los videojuegos, pues se va viendo que pueden ser útiles cuando se usan bien. Muchos desarrollan el intelecto, fomentan la creatividad, favorecen la socialización, son un elemento con el que padres e hijos pueden compartir momentos, etcétera.
Presentadora: Muchas gracias por haber atendido nuestra llamada.

469 palabras — *Adaptado de Entrevista de actualidad en R5. «Videojuegos» www.rtve.es/alacarta*

Pista 4. Tarea 4, p. 106

Persona 0 (ejemplo)

Hombre: ¿Qué buscan los jóvenes en Internet? ¿Qué tipo de relación tienen con esta red internacional? ¿Qué peligros hay detrás de la pantalla?
La compañía proveedora de Internet Yahoo España indica que el 60% de los jóvenes ya no se imaginan la vida sin Internet, y un 49% está conectado más de dos horas al día.
La opción correcta es la F.

Persona 1

Mujer: Trabajo toda la mañana con el ordenador, así que cuando llego a casa no tengo muchas ganas de usarlo, pero si lo hago es para buscar alguna información o para entrar en Facebook. Por medio de esta red social la gente puede saber todo de ti: dónde estudias, dónde vives, de dónde eres… y hay personas que se aprovechan de esto. Y para los niños es un peligro muy grande.

Persona 2 (acento mexicano)

Hombre: Yo tengo un amigo al que le robaron la contraseña de Twitter, y con ese dato empezaron a insultar a la gente en su nombre. Eso le creó un gran problema, porque las otras personas, los insultados, lo agarraron fuera de la computadora y ahí empezaron los problemas de verdad.

Persona 3

Mujer: Internet es una gran herramienta que se utiliza especialmente para recoger información. Los jóvenes, sin embargo, lo utilizan más para redes sociales y otras formas de comunicarse o actividades de ocio: juegos, chat, foros, etcétera.
Hay personas que pierden la noción del tiempo cuando están delante de un ordenador y solo piensan en estar conectados o jugando, y no pueden parar. Abandonan todas sus responsabilidades y obligaciones.

Persona 4 (acento rioplatense)

Hombre: Tengo aquí un informe en el que se indica que Norton, la compañía de antivirus, hizo un estudio sobre los intereses de los jóvenes al conectarse a Internet. El ganador absoluto fue el sexo; después videos y también las redes sociales, como medio de contacto con otra gente de cualquier sitio del mundo. El *ciberadicto* se conecta más de 30 horas semanales, desatendiendo estudios, vida familiar, social y laboral.

Persona 5

Mujer: No creo que se deban censurar contenidos de Internet, pero sí hay que tener un uso responsable. Para mí es el mejor medio de comunicación que existe, pero usándolo bien y teniendo sentido común: no podemos volcar en la Red toda la información. Con los niños hay que tener cuidado, porque hay contenidos sexuales, violentos, que hay que restringirles, porque son edades muy vulnerables ante ese tipo de temas.

Persona 6

Hombre: Internet tiene riesgos en forma de virus informáticos que ya conocemos todos. Si no tenemos nuestro equipo bien protegido, podemos ser víctimas de este virus que puede tomar el control de nuestro ordenador y usarlo para diversos fines que ninguno de nosotros desearíamos. También hay programas espía que se pueden colar y hacer un registro de nuestra actividad para enviarlo a empresas o individuos que pueden comerciar con los datos.

Adaptado de Mente abierta.
www.ivoox.com

Pista 5. Tarea 5, p. 107

Sabemos que Internet se está imponiendo como el medio por excelencia para conocer gente, sobre todo cuando uno está intentando encontrar pareja. Al ser un medio muy nuevo, podemos oír historias de todo tipo. Nosotros queremos que aprendáis bien cómo es el medio, de qué va, cómo funciona y cuáles son las características que lo hacen especial.

Nos vamos a centrar en las primeras etapas, que es donde algunos pueden sentirse más desorientados. A medida que la relación vaya avanzando con normalidad, hay un momento en el que el éxito o el fracaso dependerá más de las habilidades sociales y personales que tiene cada uno que de las propias características de la Red.

El hecho de que Internet sea un lugar muy frecuentado está muy bien en principio, pero esto nos obligará a hacer una selección, con criterios muy subjetivos, ya que cada uno sabe lo que quiere y lo que está buscando.

Una primera regla de oro de Internet es que no todo el mundo nos vale ni a todo el mundo le valemos; y además esto está bien. Nos ayudará a aprender, a asumir y a practicar que podemos decirle que *no* a alguien cuando nos escriba y que también nos pueden decir que *no* a nosotros.

La accesibilidad quiere decir que nos ven y nosotros vemos también a mucha gente; es relativamente fácil que se comuniquen con nosotros. En el ser humano hay una regla importante, que es que nos vemos obligados a devolver el saludo a quien nos saluda, pero en Internet esto no es necesario u obligatorio. Tenemos gente que de pronto se siente escandalizada o sorprendida cuando reciben un correo con ofertas de matrimonio o sexo rápido y no hay que escandalizarse por esto, realmente. ¿Qué hay que hacer en estos casos? Imaginaos que vais por la calle y alguien os dice algo así, que no suena nada serio. En ese caso lo ignoramos, nos damos la vuelta y seguimos andando. Pues aquí haremos lo mismo: ignoramos y borramos.

La tercera característica de Internet es la rapidez. Internet se ha hecho para ganar tiempo, no para perderlo. Esta es la tercera regla de oro. Tenemos varias formas de perder el tiempo: una, leernos todos los correos que recibimos de arriba abajo. Seguro que desde el asunto o desde las primeras líneas ya podéis decidir si merece la pena el correo o no. Otra forma de perder el tiempo es enfadarnos cuando alguien ha escrito algo que no nos gusta. Recordad: ignorar y borrar. Y la tercera forma de perderlo es cuando además contestamos a esos correos enfadados.

Por lo tanto, os sugerimos que no perdáis el tiempo y os centréis en buscar a esa persona que necesitáis.

Internet es un medio por el que podemos conocer a mucha gente de una forma relativamente fácil y donde se acorta el tiempo, tanto para conocer a la gente como para dejar de conocerla.

486 palabras *Adaptado de Practicopedia. «Cómo encontrar pareja por Internet». Meetic Affinity.*
http://relaciones.practicopedia.lainformacion.com/amor/

PRUEBA 3

Pista 6. Tarea 1, p. 108

Después de tener contratado Internet móvil con mi compañía durante tres años, decidí darlo de baja. Llamé por teléfono y después de pedirme los datos, empezaron a pasarme de un operador a otro y al final me dijeron que llamara otro día a un horario determinado. Al día siguiente, lo que hice fue mandar un burofax con la solicitud de baja y recibí mi acuse de recibo. Eso fue un día 7 y ese mes lo pagué entero. Al mes siguiente me mandaron una carta para proceder al cobro. Inmediatamente los llamé. Tras ocho intentos, un comercial me atendió y me pasó a otro, y este a otro… Después de tenerme en espera quince minutos, salió una grabación diciéndome que llamara más tarde. Dos días después, por fin pude contactar con ellos: me dijeron que todo estaba solucionado e incluso me dieron un número para identificar la conversación. Pues bien, al mes siguiente me vino otro recibo. Por supuesto, di orden de devolución al banco. Desde entonces no paran de mandarme cartas amenazando con emprender acciones legales y meterme en un registro de morosos. ¿Si para contratar un servicio no hay problema, porque a la hora de darse de baja lo hay?

202 palabras *Adaptado de www.quejas-y-reclamaciones.net/empresa*

PRUEBA 2

Pista 7. Tarea 1, p. 125

Conversación 1

Narrador: Va a escuchar una conversación sobre el tema de las elecciones.
Mujer: ¡Por fin ha terminado la campaña electoral! Estaba ya aburrida de tanto discurso.
Hombre: Sí, hoy nos toca jornada de reflexión. Por cierto, ¿ya sabes a quién vas a votar?
Mujer: Pues no me convence ninguno de los candidatos. No sé si abstenerme… ¿Y tú?
Hombre: Ya sabes que yo soy fiel a mi partido. Aquí tengo la papeleta preparada. ¡Venga, decídete y vamos juntos a votar mañana!

Conversación 2

Narrador: Va a escuchar una noticia sobre la jornada electoral.
Mujer: Acaban de cerrarse los colegios electorales. Mientras se procede al recuento de votos, vamos a hacer un repaso de las noticias más destacadas del día.
Hombre: ¡María, las noticias!
Mujer: Los líderes de los partidos políticos han acudido temprano a depositar su voto en las urnas. Las encuestas de opinión dan como ganador de estas elecciones a…
Hombre: ¡María, corre, que ya van a dar los resultados!

Conversación 3

Narrador: Va a escuchar una conversación sobre la noticia de un secuestro.
Mujer: ¡Qué fuerte!... El secuestrador la tuvo encerrada ocho años en el sótano de su casa hasta que ella pudo escaparse.
Hombre: ¿Cómo es posible que ningún vecino notara nada?
Mujer: Espero que se celebre pronto el juicio y que lo manden muchos años a la cárcel.
Hombre: ¡No me cabe en la cabeza que la policía no haya encontrado una sola pista en todos estos años!

Conversación 4

Narrador: Va a escuchar una conversación entre dos personas mayores.
Hombre: ¿Has leído el periódico? ¿Qué te parece la disminución del número de creyentes y practicantes en los últimos 20 años?
Mujer: Pues fatal… Parece que eso de rezar y de ir a la iglesia no les va mucho a los jóvenes. ¡Ya nada es pecado! ¡Vale todo: el divorcio, el…!
Hombre: ¡Bueno mujer, no te pongas así! Los tiempos cambian… ¡Qué le vamos a hacer…!

Conversación 5

Narrador: Va a escuchar una conversación entre un padre y su hija.
Mujer: ¿Papá, es verdad que el tío Juan estuvo en la guerra?
Hombre: Pues sí…, estaba haciendo el servicio militar; se declaró la guerra y no tuvo más remedio que luchar. ¡Qué iba a hacer!
Mujer: Y lo pasó muy mal, ¿no?
Hombre: ¡Desde luego! Le dispararon y le entró una bala cerca del corazón. ¡Casi se muere!; y luego le hicieron prisionero… ¡Pero esa es otra historia!

Conversación 6

Narrador: Va a escuchar a una pareja hablando sobre los planes para el fin de semana.
Mujer: ¿Quieres que vayamos este fin de semana a mi pueblo? Es la romería de santa Ana: la gente camina hasta una ermita y allí se celebra una misa.
Hombre: ¿Y…?
Mujer: Bueno, después hay baile, música y comida en el campo. Vente, hombre, que lo pasaremos bien; y así conoces a mi familia…
Hombre: ¡Ah, ahora recuerdo que tengo partido de tenis! ¡Qué lástima…!

Pista 8. Tarea 2, p. 126

Javier: Para mí, el Camino de Santiago es un camino de transformación, un coqueteo constante con la muerte, no siempre física, sino interior. Creo que, en esos 30 días aproximadamente que dura el Camino andando, lo que se produce es una transformación del sujeto, si se es peregrino, no turista.
Marta: Se dice que Compostela significa *Campo de estrellas* y se llama Santiago porque el apóstol lo recorrió en un momento de su vida.

En realidad fue a finales del siglo XIX cuando se cavó detrás del altar: allí se descubrieron unos huesos en una arqueta y el papa León XIII declaró dogma de fe lo que había sido tan solo una leyenda. Nadie podrá demostrar que los restos que están allí son del apóstol Santiago, primero porque no hay pruebas científicas firmes que lo digan. Se podría ver, hoy en día, solamente si se conservara el cuerpo de Juan, porque al ser hermanos podríamos comparar el ADN. Desgraciadamente, no se sabe lo que pasó con él en Éfeso. Es decir, nunca se podrá afirmar nada positivo, pero negativo tampoco.
Javier: ¿Pero cómo se explica que desde que Santiago predicó en España hasta el siglo XI no haya ningún testimonio escrito de los escritores cristianos de la época, muchos de ellos santos? El hecho real es que el apóstol nunca estuvo en España. Además no es verdad que sea una tradición de 2000 años. Lo que es cierto es que esté o no esté Santiago allí, lo que se ha generado es increíble, y está muy bien, porque le da más publicidad para que la gente vaya.
Marta: Hay un lugar en el Camino, llamado *O Cebreiro*, donde se cree incluso que conservan el Santo Grial y, aunque hay pruebas de que no lo es, está vinculado a unas leyendas muy bonitas. Esta creencia tuvo tal trascendencia, que los Reyes Católicos acudieron a Santa María del Cebreiro para visitar la iglesia y quisieron llevarse el cáliz del milagro.
328 palabras

Adaptado de El otro lado de la realidad.
«El Camino de Santiago». Javier Sierra. Telemadrid.
www.ivoox.com

Pista 9. Tarea 3, p. 127

Entrevistadora: Tenemos la sensación de vivir sin sosiego, empujados por una fuerza que no sabemos de dónde viene y proyectados hacia un destino que tampoco conocemos con seguridad. Desde que nos levantamos hasta que nos acostamos, con los acontecimientos del día, nuestras ocupaciones, nuestros problemas, a veces surgen muchas preguntas. Es lo que ha hecho el ser humano desde el primer pensamiento racional. Esto se lo vamos a trasladar al profesor de Filosofía y Teología de la Universidad de Barcelona, don Francesc Torralba, autor de más de 50 libros que han sido traducidos a muchísimas lenguas. Buenas tardes.
Francesc: Buenas tardes.
Entrevistadora: Preguntas y más preguntas… ¿Es bueno preguntarse cosas?
Francesc: Forma parte del oficio del filósofo. De hecho es lo que hacemos, formular preguntas. Y a veces encuentras respuestas provisionales, nunca científicas; especialmente cuando hablamos del sentido de la vida nunca encontramos una respuesta concluyente; uno indaga, experimenta, explora, escucha cómo los otros han dado sentido a su vida y trata de buscar su propio sentido.
Entrevistadora: Si le hiciéramos esta pregunta a un teólogo, contestaría de una manera; a un científico, de otra…
Francesc: Y dentro de los científicos habría respuestas muy distintas, y también dentro de los teólogos y dentro de los filósofos, porque no hay una única respuesta al sentido de la vida y eso es lo más interesante.
Entrevistadora: Muchas veces escuchamos que los que no piensan son más felices…
Francesc: Esto se dice mucho, pero creo que hay determinados acontecimientos que suscitan esta pregunta a todo el mundo. A lo mejor estás paseando por la playa, o has tenido una experiencia dramática, como la muerte de un ser amado, o has tenido un fracaso laboral… y esta pregunta irrumpe con mucha fuerza. Es verdad que es una pregunta que no está siempre presente, por lo general. Nuestras preguntas suelen ser instrumentales: ¿Cómo voy a pagar la hipoteca? ¿De qué manera voy a resolver las vacaciones?, pero la pregunta sobre el sentido de la vida aparece en situaciones clave.
Entrevistadora: Casi 3000 personas se suicidaron en España el año pasado. Es mucha gente, pero no se habla de ello, ¿no?
Francesc: Es un número elevadísimo, lo que en el fondo nos hace concluir que lo que da sentido a la vida no es tanto el tener o disponer del confort y bienestar, sino el poseer vínculos sólidos, una razón por la que vivir. Hay países donde resulta muy difícil vivir un día más, y sin embargo el índice de suicidios es muy bajo. Sin embargo, en otros países donde viven con una comodidad enorme, muchas personas se quitan la vida. Esto da mucho que pensar sobre cuál es el horizonte de la felicidad, lo que realmente llena a las personas. Creo que hay una constelación de verbos que dan sentido a la vida, no una cosa solamente: dar, construir, comprometerse, contemplar, compartir…
Entrevistadora: Muchísimas gracias. Ha sido un placer hablar con usted.
Francesc: Gracias a ustedes. Hasta pronto.
492 palabras

Adaptado de Te doy mi palabra. Onda Cero.
www.ivoox.com/entrevista-a-francesc-torralba

Pista 10. Tarea 4, p. 128

Persona 0 (ejemplo)

Hombre: Los sanfermines empiezan a las doce de la mañana del 6 de julio, con el lanzamiento del *chupinazo* desde el balcón del ayuntamiento de Pamplona, y terminan a las doce de la noche del 14 de julio con el *Pobre de mí,* una canción de despedida.
Los sanfermines tienen un origen que se remonta a varios siglos. Su fama es reciente, vinculada a la difusión que le dio Ernest Heminway.
La opción correcta es la J.

Persona 1

Hombre: La Iglesia celebraba San Fermín el 10 de octubre, pero cansados de las inclemencias del tiempo en otoño, se pidió al obispo el cambio al 7 de julio en 1591. Por entonces también se celebraban ferias y corridas en Pamplona en julio, así que al final acabaron uniéndose ambas cosas, la fiesta religiosa y la de los toros.

Persona 2

Mujer: Hay muchos extranjeros en San Fermín. El primer fin de semana sobre todo son australianos; vienen del orden de siete u ocho mil cada año. También vienen muchos estadounidenses, canadienses, mexicanos, a los que les gusta mucho esta fiesta, y gente de todo el mundo. En general los extranjeros vienen a correr sin saber cómo se hace y sin mucha conciencia, pensando que los toros son como perros.

Persona 3

Hombre: La verdad es que correr delante de un toro tiene sus peligros y hay que lamentar la pérdida de algunas vidas humanas, concretamente desde 1924, año en que empezaron los registros oficiales de los sanfermines, han muerto 15 personas. La última víctima mortal fue un joven de 27 años, de Alcalá de Henares, que fue cogido por el toro *Capuchino* en el año 2009.

Persona 4

Mujer: La gente de Pamplona, lo que hacemos muchas veces el fin de semana de los sanfermines es marcharnos fuera, porque eso de pedir una bebida y que te metan un codo por la oreja en el bar al final te agobia. Probablemente sea la semana en la que menos gente de Pamplona hay en Pamplona.

Persona 5

Hombre: He corrido los encierros dos veces y es una sensación muy fuerte. Los sanfermines son una tradición, pero el problema es que hay gente que se mete sin saber. Si repasamos las grabaciones de las muertes en el encierro vemos que en la mayoría de los casos es porque la persona que ha caído se levanta y eso no hay que hacerlo. Hay que seguir tumbado hasta que pasan todos.

Persona 6

Hombre: Creo que si desaparecieran los sanfermines acabaríamos con el turismo, aunque los extranjeros piensan que la fiesta consiste solo en correr delante de los toros, pero los encierros no se hicieron para que la gente corra sin más, sino para conducir a los corrales a los toros que se van a torear al día siguiente en la plaza. Además el corredor no tiene que tocar al toro para nada.

Adaptado de RNE. Afectos matinales. «Los Sanfermines».
www.ivoox.com

Pista 11. Tarea 5, p. 129

Acento argentino

El Carnaval es una antigua tradición en la ciudad de Buenos Aires. La sátira, el baile, la música callejera, el humor, la alegría y la burla son los rasgos más distintivos. La máscara y el disfraz crean confusión de lugares sociales y de sexos: esclavos disfrazados de señores y al revés, hombres transformados en mujer, etc. Por esta rebelión contra lo establecido, muchas veces se señaló como subversivo. Traído a nuestras tierras por los conquistadores, el Carnaval es un festejo muy antiguo en el continente europeo.
En el río de la Plata, alrededor de 1600, los esclavos negros se congregaban junto a sus amos para celebrar este festejo. Durante la época colonial, los carnavales porteños llegaron a ser famosos e incluso fueron motivo de escándalo, como el fandango que se bailaba en la Casa de Comedias.
La costumbre que caracterizó al Carnaval porteño fue la de arrojarse agua. Los bonaerenses se mojaban los unos a los otros: ricos, pobres, blancos y negros, esclavos y señores. El abuso de esta costumbre causó distintas prohibiciones.
Los esclavos aprovechaban para mojar a todo el mundo, cobrándose así pequeñas venganzas. Estos juegos terminaban muchas veces con heridos o algún muerto. Por eso, a cada comienzo de Carnaval se dictaban medidas preventivas, que nunca funcionaban porque los policías también jugaban al carnaval.
A fines del siglo XIX, pese a la ordenanza que prohibía arrojar agua, se hicieron famosos los frascos Cradwell, que se vendían en la farmacia Cradwell de la calle San Martín y Rivadavia. Estos arrojaban agua perfumada.

Al despuntar el siglo XX, cada barrio tenía su murga[5]. Eran organizadas por vecinos y comerciantes y se llevaban a cabo por agrupaciones de jóvenes artistas que, junto con los músicos y las mascaritas[6], animaban la jornada. Las plazas y las fachadas de los edificios se adornaban con guirnaldas, banderines y lamparitas de colores.
En la década del 30, las agrupaciones de carnaval de los barrios pasaron a tener nombres divertidos, acompañados del nombre del barrio de origen: Los Eléctricos de Villa Devoto o Los Averiados de Palermo son algunas murgas legendarias de aquella época.
La dictadura, en 1976, anuló el artículo primero de la ley por la cual el lunes y martes de Carnaval eran feriados nacionales. En 1983, con el retorno de la democracia, las calles de Buenos Aires retomaron la música, el espíritu y el color del carnaval, que resucitó, como ave Fénix, de las cenizas…
Actualmente, las murgas mantienen viva la pasión por la parodia, los disfraces y el sonar del bombo. Muchos jóvenes artistas del teatro, la música y la danza han retomado la estética carnavalesca, dando difusión a este género en distintos centros culturales. A través de nuevas formas, el Carnaval se recicla, revitaliza y también adopta modos de resistencia: las murgas barriales son instrumentos de integración, donde la participación y la creación colectiva eliminan el discurso anticarnavalero.
510 palabras *Adaptado del periódico VAS, Buenos Aires.*
http://periodicovas.com/breve-historia-de-los-carnavales-portenos/

PRUEBA 3

Pista 12. **Tarea 1, p. 130**
El ayuntamiento precisa incorporar un administrativo que hable portugués y tenga experiencia en ventas. Entre sus funciones están:
- Preparación de presupuestos y relaciones con Portugal.
- Ayuda en la preparación de presupuestos para España.
- Tareas administrativas propias del departamento de ventas tanto de España como de Portugal.
- Otras tareas administrativas.
- Archivo de documentos.
- Crear bases de datos.

Requisitos:
- Formación universitaria, en especial en Ciencias Sociales o Economía.
- Idiomas: portugués, imprescindible. Se hará una prueba oral y escrita.
- Manejo de Microsoft Office: Excel y Word y correo electrónico.

Se valorará:
- Personas con experiencia en el sector.
- Persona dinámica con facilidad para trabajar en equipo.
- Persona con iniciativa.
- Compromiso.
- Flexibilidad para asumir distintas tareas.

Los interesados deben escribir una carta certificada al Departamento de Recursos Humanos del ayuntamiento antes del 15 de junio, adjuntando un currículum actualizado con fotografía. En el plazo de 15 días hábiles desde la recepción de la carta, procederemos a ponernos en contacto con el candidato para concertar una entrevista.
181 palabras *Adaptado de http://es.jobomas.com/administrativo-con-portugues*

5 Murga: por un lado, es un género coral-teatral-musical y, por otro, la denominación que se le da a los conjuntos que lo practican.

6 Mascarita: diminutivo de máscara.

PRUEBA 2

Pista 13. Tarea 1, p. 153

Conversación 1

Narrador: Va a escuchar a una pareja que está hablando sobre su viaje de novios.
Mujer: Pues a mí me encantaría dar la vuelta al mundo... ¡Es tan romántico!
Hombre: Sí, cariño... pero tenemos un presupuesto. ¿Y un hotelito rural o una cabaña a orillas de un río con vistas a las montañas, allí solos tú y yo? Eso sí que es romántico...
Mujer: Bueno... ¿no preferirías algo más exótico o animado, como un viaje a Tailandia o un crucero?
Hombre: ¡Si tú lo dices!

Conversación 2

Narrador: Va a escuchar una conversación de una familia en la playa.
Mujer: El cubo, la pala y... ¡Manolo!, ¿el flotador del niño?
Hombre: ¡Lo he puesto en la otra bolsa...!
Mujer: ¡Ah, sí! Oye, dale crema a Carlitos. Y ponte tú también, si no, os ponéis rojos como un tomate.
Hombre: Vaaaale...
Mujer: ¡Agg..., el agua está llena de algas! ¡Y han puesto bandera roja...! ¡Hoy no nos bañamos...!
Hombre: Bueno, podemos pasear... o jugar a las palas.

Conversación 3

Narrador: Va a escuchar una conversación en la recepción de un hotel.
Hombre: ¿Puedo ayudarle en algo, señora?
Mujer: Pues sí, quería pedir la hoja de reclamaciones...
Hombre: ¿Tiene algún problema?
Mujer: Uno no, varios. He reservado una habitación doble que dé al mar y solo veo al vecino de enfrente. En lugar de una cama doble hay una individual y otra supletoria y, para colmo, el aire acondicionado no funciona.
Hombre: Lo siento mucho, señora, veré lo que se puede hacer.

Conversación 4

Narrador: Va a escuchar una conversación telefónica entre una mujer y su marido.
Mujer: ¡Mariano, se me ha pinchado una rueda y me he chocado contra unos arbustos! Estoy muy nerviosa... ¿Qué hago?
Hombre: Bueno, mujer, tranquila. Ponte el chaleco amarillo, coloca la señal de accidente y luego llama al seguro. Te enviarán una grúa para llevar el coche al taller.
Mujer: ¿Y por qué no vienes tú y me pones la rueda de repuesto?
Hombre: Pero, Lola, ¡si estoy de viaje por Andalucía...!

Conversación 5

Narrador: Va a escuchar una conversación entre unos amigos que están preparando un viaje.
Hombre: Bueno, entonces dormimos en el mismo compartimento los cuatro y por la mañana llegamos allí tan frescos.
Mujer: No sé yo..., ¡seguro que no pego ojo!
Hombre: Que no, mujer... Bien, el sábado hacemos alpinismo y el domingo el descenso por el barranco... ¡Ah!, y por la tarde vemos la puesta de sol, es impresionante.
Mujer: ¡Ya verás cómo a esa hora cae un chaparrón!

Conversación 6

Narrador: Va a escuchar una conversación entre dos personas que viajan en coche siguiendo las instrucciones de un navegador.
Mujer (voz de navegador): Gire a la derecha en el primer cruce. Cuando llegue a una rotonda coja la salida en dirección Burgos.
Hombre: Margarita que por ahí no es... ¿No ves que nos estamos saliendo de la carretera?
Mujer (voz de navegador): Dé la vuelta en cuanto pueda y coja la autovía A1 en dirección Burgos. Dé la vuelta ahora.
Hombre: ¡No, Margarita no frenes aquí, que estamos en plena curva!

Pista 14. Tarea 2, p. 155

Joan: Las motivaciones son distintas para elegir los viajes organizados (1). ... **En muchos casos**, en los que predominan las motivaciones más de curiosidad o de conocimiento, **el compañero de viaje es un daño inevitable (2).**

En cambio, hay otras personas que van buscando el hacer nuevas amistades. **Por tanto, en la medida en que las motivaciones son diferentes en los viajeros, la relación con los compañeros también será distinta (3)**.
Montse: **Los viajes son algo más que simples contenidos. No es ir a ver un país o ciudad determinados, sino que hay muchas más cosas, sobre todo vivir experiencias y sensaciones distintas (4)**; sobre todo, en los viajes organizados en grupo, la mayor demanda es la de poder mantener relaciones con la gente. Normalmente, estas relaciones se mantienen. **Claro, a veces hay compañeros insoportables: el que no se ducha, el que quiere llevar la voz cantante... (5)** pero estos, afortunadamente, son casos aislados.
Joan: Yo tenía un amigo que, en broma, solía decir que cuando Sartre dijo eso de «el infierno son los otros» era justo después de un viaje organizado. Es cierto que tú sabes cuáles son tus motivos para hacerlo, pero no tienen por qué coincidir con los de los demás. Nos hemos ido volviendo cada vez más viajeros y más exigentes con el producto comprado, pero también con los compañeros de viaje. Queremos que el viaje sea un éxito y eso también depende del otro. Además, en los viajes organizados se pierde un poco el contacto con los nativos...
Montse: No es verdad, porque en grupo también se habla con los de allí. **Lo que limita esto es el idioma, claro (6)**, pero con gestos te puedes comunicar.
Joan: Pero si quieres tener más relación con la cultura local, tienes que ir más libre y estar dispuesto a pasar más tiempo. **En realidad los humanos nos movemos entre dos extremos: el gusto por lo que es distinto y nuevo y la necesidad de ser una comunidad (7)**. Según el grupo buscaremos actividades de uno de los dos tipos.
341 palabras *Adaptado de Para todos la 2. «viajes organizados». RTVE. www.rtve.es/alacarta/*

Pista 15. Tarea 3, p. 157
Presentadora: Doctor, buenas noches.
Francisco Lozano: Buenas noches.
Presentadora: A lo largo de la historia varios científicos han intentado controlar el tiempo (1). ¿Crees que la ciencia lo hará posible algún día?
F.L.: No se puede decir ni que *sí* ni que *no* ahora mismo, porque impedimentos teóricos no existen, aunque todas las nociones que tenemos en estos momentos contradicen esa posibilidad siempre que se hable de viajes hacia el pasado. Me explico: **Prigogine, Premio Nobel ruso, en uno de sus trabajos sacó varias conclusiones, una de las cuales es el hecho de que del pasado solo se puede fluir al presente y del presente solo se puede fluir al futuro (2)**. Esto sería una propiedad intrínseca de la naturaleza que no podemos violar de ninguna manera, por muy sofisticadas que sean las teorías y por muy costosas y elaboradas que sean las máquinas. Sin embargo, esta es una tesis, con su correspondiente trabajo científico detrás que lo apoya. **Pero eso no significa que la ciencia permita los viajes en el tiempo hacia el futuro en estos momentos de una manera clara, y cuando digo «los permita» quiero decir no tanto en la práctica como en la teoría (3)**. Sabemos que a partir de la teoría de la relatividad de Einstein los tiempos de los objetos en movimiento no son nunca los mismos; por tanto, el móvil que vaya a una mayor velocidad que otro móvil tendrá un tiempo más rápido que el otro, con lo cual el primero respecto al segundo estaría viajando al futuro. Pero la flecha del tiempo de Prigogine y de tantos otros científicos impediría los viajes al pasado.
Presentadora: ¿Podemos estar seguros de que a día de hoy no existe ningún científico que, de forma privada, haya creado algo similar a la máquina del tiempo?
F.L.: Yo diría que no, pero claro, no puedes estar en varios sitios a la vez viendo todo lo que se investiga. Aun así, con las condiciones teóricas que tenemos en estos momentos, me atrevería a decir que no es posible.
Presentadora: ¿Qué es la *transcomunicación* y cómo podría ayudar en los viajes en el tiempo? Quiero decir, **comunicarnos con alguien que está en otro plano o en otra dimensión**.
F.L.: Ahora mismo no parece factible (4), aunque hay un enorme debate entre los científicos sobre este tema. ¿Podría haber universos con diferente espacio-tiempo que fluyen de una manera distinta al nuestro? No hay ninguna razón científica para pensar que no existan, pero no hay pruebas y todo son especulaciones.
Presentadora: Sabemos que experimentar con el tiempo puede resultar muy peligroso. (5) Creo que Tom Bearden y Peter Kelly, durante un experimento de vanguardia, lograron abrir un agujero en el espacio-tiempo...
F.L.: El hecho de abrir un agujero en el espacio-tiempo se ha conseguido en muchas ocasiones (6) en el campo de la mecánica cuántica con partículas. A nivel microscópico este fenómeno se repite en muchas ocasiones, pero de ahí a trasladarlo al campo humano, hay un abismo impresionante.
Presentadora: Muy interesante, Francisco. Gracias y hasta pronto.
504 palabras Adaptado de «Luces en la oscuridad». Entrevista a Francisco Lozano Winterhalder. ABC Punto Radio. www.ivoox.com y www.abc.es/radio

Pista 16. Tarea 4, p. 159

Persona 0 (ejemplo)

Hombre: En mi casa siempre me cuentan una cosa vinculada a esto. Mi padre acababa de recibir la plaza de cartero en Rosas, Gerona, y mi madre veraneaba allí. Se conocieron la noche anterior. Como en aquella época estaba mal visto llegar a casa tarde, **la Luna les brindó la coartada perfecta para irse a un teleclub y estar juntos hasta altas horas (1)**. Le debo mucho a aquel acontecimiento.
*La opción correcta es la **I**.*

Persona 1

Hombre: Aquella noche estaba en una situación muy curiosa, porque yo tenía un niño de un año, que llevaba llorando toda la noche, así que estaba atendiendo al niño y viendo la tele a la vez. **Me sentía emocionado como periodista ante lo que estaba ocurriendo y al mismo tiempo nervioso como padre (2).** Estuve todo el tiempo haciendo dos cosas a la vez.

Persona 2

Mujer: Pues estábamos en un pueblecito de Málaga, donde siempre hemos veraneado. Como yo trabajaba en agosto, me iba con mis padres allí, porque mis hijas eran muy pequeñas y cuando por la mañana me iba, las niñas se quedaban con mi madre. Bueno, pues estábamos allí y recuerdo que nos levantamos a las tantas, **después de estar todo el día emocionados (3)**. Tengo ese recuerdo de una noche de grandes emociones.

Persona 3

Mujer: Estaba en Ibiza y tenía diez años. Lo recuerdo perfectamente porque fue un acontecimiento impresionante. **Mi abuela no se lo creía (4)**. Le decíamos «abuelita, está llegando el hombre a la Luna». A mí me parecían como dos muñecos animados, porque todavía era pequeña, pero por supuesto me lo creía. Y ella decía: «No, estos se han ido de vacaciones y luego vuelven contándonos que han estado en la luna».

Persona 4

Hombre: Yo estaba en un pueblo de la Costa Brava con mis padres, de veraneo (5). Estábamos ya dormidos, pero mis padres nos despertaron, y yo recuerdo veladamente la imagen de la tele en blanco y negro. La imagen que tengo en la cabeza no sé si es la que vi en ese momento o la que he visto un montón de veces después.

Persona 5 (acento mexicano)

Hombre: La iconografía del espacio, de los nuevos mundos, me tenía auténticamente cautivado (6). Fue una cosa magnética para aquellos niños nacidos en aquella época el ver a un señor que está flotando por un espacio que no entiendes muy bien y, de repente, pisa y deja esa huella en el suelo que, además, no se borra nunca.

Persona 6 (acento rioplatense)

Hombre: Hay que ser muy testarudo para decir «yo voy a la Luna», porque muchos te van a decir que no lo hagas. De gente que se arriesga, que tiene coraje y valor, **yo saco siempre una conclusión: que el ser humano es increíble y que a veces hace cosas fantásticas (7)**, como el ir a la Luna. Ahora solo falta que se invente la teletransportación y que podamos ir a Marte.

Pista 17. Tarea 5, p. 161

Tal vez sea una tentación irresistible acercarse a la figura de Cristóbal Colón (1), el hombre que hace más de cinco siglos descubrió América, **como si se tratara de una encrucijada de misterios por resolver (2)**, pero hay **muy pocos aspectos de la vida del célebre almirante que no hayan sido evocados por los historiadores de manera contradictoria (3)**.

Colón es el autor del descubrimiento geográfico más importante de la historia. Su nueva ruta hacia América fue un elemento decisivo hacia la expansión mundial de Europa. ¿Cómo se explica entonces que sus principales signos de identidad sean hoy, **quinientos años después, motivo de discusión**? **(4).**

¿Dónde y cuándo nació? Ya desde los libros de texto de la escuela primaria **hemos aceptado la ciudad italiana de Génova como el lugar de origen de Cristóbal Colón (5)**. Sin embargo, numerosos estudios e investigaciones le atribuyen los orígenes más diversos dentro de la geografía italiana, española, francesa o portuguesa.

¿Cómo era su aspecto físico? (6) Fray Bartolomé de las Casas describe a Colón como una persona «de aspecto venerable, de gran estado y autoridad», pero los detalles físicos varían notablemente en función de los retratos inspirados en la persona del almirante.

¿Cómo se explica que conociera una ruta que aún no había hecho nadie antes? (8) ¿O sí se había hecho? (7) Navegar a occidente para llegar a poniente es una idea que venía repitiéndose desde la más remota antigüedad, según dejaron constancia los sabios griegos **(9).**

Holberg, en su libro *Los noruegos en la época pagana*, hace referencia a un viaje realizado en 1347 (11) desde Groenlandia **hasta la península del Labrador (12)**, al norte de Nueva York, es decir, **150 años antes del viaje de Colón (10)**.

Y conforme avanzamos **en su biografía, los interrogantes se suceden (14)**: ¿fue un esclavista que sometió a los indígenas americanos? O por el contrario, tal como apuntan algunos de sus legados y cartas, ¿**fue un humanista respetuoso y protector con la cultura que acababa de descubrir**? **(15)** ¿**Por qué desembarcó en Portugal**, a la vuelta de su primer viaje, en lugar de hacerlo en España? **(13)**
Oficialmente, los restos de Colón reposan en Sevilla, pero **¿es realmente en la capital andaluza donde está enterrado el almirante? ¿Y en qué lugar falleció? (17)**
Ante un hecho tan crucial que cambió la historia de la humanidad, puede que estos interrogantes no se merezcan el tiempo y la importancia que el debate histórico les ha otorgado, pero no deja de ser curioso que la vida del navegante más célebre de todos los tiempos, **el hombre que el 12 de octubre de 1492 consiguió desembarcar en un nuevo continente y trazar una ruta de ida y vuelta entre Europa y el llamado Nuevo Mundo, genere tantas controversias después de medio milenio**. **(16)**
Algunos dicen que el ocultismo que gira en torno a la figura de Colón **es fruto de una censura oficial que ha condicionado nuestra percepción clara de los hechos**, y por esto tenemos tantas teorías sobre su vida. **(18)**

Adaptado de Para todos la 2. «Cristóbal Colón». RTVE.
www.rtve.es/alacarta

PRUEBA 3

Pista 18. Tarea 1, p. 164
La factura del teléfono, el recibo de la hipoteca, un problema con el tinte o ese vuelo que llegó ocho horas tarde. En el último año las reclamaciones han aumentado un 22%. ¿Estamos más informados o miramos más cada euro? ¿Qué es lo que denunciamos? Los problemas con las compañías telefónicas acaparan una de cada tres reclamaciones. A algunos usuarios les han suplantado la identidad y les han hecho un contrato de teléfono a su nombre. Aunque la empresa lo ha reconocido así, siguen llegando los recibos. Reclamar es una odisea: muchos minutos al teléfono escuchando una música repetitiva e incluso ofertas de Internet cuando tan solo se pretende dar de baja la línea.
Las denuncias a las compañías aéreas han aumentado un 50% en el último año. Comentamos el caso de un grupo de turistas que reclama costes e indemnizaciones a una compañía que anuló el vuelo cuando estaban en la misma puerta de embarque. En las zonas rurales son más escasas las denuncias, pero Teresa intenta que no sea así. De pueblo en pueblo enseña a los vecinos a reclamar bajo un lema: Estamos perdiendo dinero si no denunciamos. Le cuesta hacer llegar el mensaje, porque muchos dudan que sea útil rellenar una hoja de reclamaciones. También Ramón piensa así. Acumula 30 denuncias contra los morosos que le deben más de un millón de euros, pero aún no ha conseguido nada. Por eso va de puerta en puerta reclamando el dinero para que su empresa no quiebre.

Adaptado de Comando actualidad. RTVE.
www.rtve.es

SOLUCIONES JUSTIFICADAS

Examen 1 CD I

Prueba 1

Tarea 1, p. 8: **1-C:** *También llega a la* *geriatría* *[…] u otros campos médicos (bebés prematuros, oncología, rehabilitación neurológica, dolor crónico...).* No es A porque la Musicoterapia puede aplicarse *desde los primeros meses del embarazo*, es decir, antes del nacimiento. No es B porque se dice que la Musicoterapia tiene variados campos de intervención, esto es, de aplicación. No se dice que se use en intervenciones quirúrgicas (en el quirófano). **2-C:** *[…] se recabará previamente información, tanto del estado de salud del paciente como de sus experiencias con la música.* No es A porque el tratamiento puede comenzar tanto por iniciativa del paciente como por derivación de un profesional. No es B porque se dice que se recaba (pide, consigue) información de la experiencia del paciente con la música, pero no se señala que deba tener conocimientos musicales. **3-B:** *[…] nos comunicaremos a través de la música y de diversas expresiones musicales para obtener información que nos permita intervenir adecuadamente.* No es A porque en el texto se dice que la Musicoterapia es *fundamentalmente* (no *exclusivamente*) no verbal. Además, aunque fuese estrictamente no verbal, eso no significaría que el hablante tuviera prohibida la palabra. No es C porque *los recursos musicales utilizados van desde el canto hasta el uso de instrumentos.* En ningún momento se indica que el canto se combine siempre con los instrumentos. **4-B:** *El musicoterapeuta […] será capaz de adaptar cada música al paciente, algo que no permite la música grabada.* No es A porque en el texto se menciona que escuchar un CD no conlleva automáticamente la relajación del paciente, nada se indica sobre los tipos de música grabada. No es C porque tan solo se dice que la simple escucha de un CD de música clásica no conlleva automáticamente la relajación del paciente. **5-C:** *La Musicoterapia […] ya es impartida como formación reglada en estudios de posgrado de diversas universidades y centros privados.* No es A porque en el texto se nos dice que las asociaciones internacionales establecen las áreas de capacitación del musicoterapeuta, no hace ninguna mención sobre el papel de estas asociaciones en el reconocimiento de la profesión. No es B porque en los estudios se abarca, entre otras áreas, la clínica. No se dice que se den los cursos en clínicas. **6-A:** *Podemos resaltar su condición de disciplina no farmacológica.* No es B porque en el texto se dice que se implica al paciente y a su entorno en actividades placenteras. No es C porque dice que la Musicoterapia ahorraría dinero al Sistema Nacional de Salud; es decir, si estuviera subvencionada, pero no lo está.

Tarea 2, p. 10: **7-B:** *[…] Aún me resulta increíble y admirable que un hombre cuya máxima educación fue la* *básica* *lograse sacar adelante a cinco hijas […].* No es A porque no se indica nada acerca de la educación del abuelo. No es C porque se alude a que el abuelo fue profesor: *[…] que él fue capaz de mantener en orden y silencio a clases con docenas de alumnos […].* No es D: *[…] Mi abuelo […] me demostró que, sin tener una educación reglada, […] se puede llegar a saber mucho.* **8-C:** *[…] Mi abuelo muchas veces se entregaba a la divertida pero difícil tarea de jugar y lidiar con nosotros […].* No es A porque los niños jugaban mientras el abuelo estaba sentado en el parque. No es B porque no hay ninguna indicación sobre que el abuelo jugara con sus nietos. No es D porque no se menciona si el abuelo jugaba con los nietos. **9-D:** *[…] Cuando inicié mis sueños de construir mis propios coches y montar mi propia empresa, […] hubo una persona que mostró genuino interés en saber cuál era mi sueño. Ese fue mi abuelo.* No es A porque no hay indicación expresa a la vida laboral del autor del texto. No es B porque en el texto se dice que el abuelo sacó adelante a cinco hijas, *cada una de ellas con carrera*, pero no se habla sobre la experiencia profesional del autor del texto. No es C porque el texto únicamente recrea la infancia de su autor y, por tanto, no se refiere a sus inicios profesionales. **10-A:** *[…] era una gran persona, alto, delgado,* *pelo blanco* *y lacio […] le veía majestuoso.* No son B ni C porque no se alude en el texto a la descripción física del abuelo. No es D porque en el texto no se dice nada acerca del aspecto físico del abuelo. **11-A:** *[…] se apuntaba a todas las excursiones: decía que así practicaba más geografía que en toda su vida juvenil y laboral.* No es B porque se habla de libros no de viaje. No es C ni D porque no se menciona nada relativo a viajes. **12-C:** *[…] él fue capaz de mantener en orden y silencio a clases con docenas de alumnos […].* No es A porque en el texto no se dice qué profesión tenía el abuelo. No es B porque el texto menciona que el abuelo solo tenía la educación básica. No es D porque en el texto se señala que el abuelo carecía de educación reglada. **13-D:** *[…] mecánico de profesión y polifacético, capaz de arreglar coches, lavadoras, grabar documen-*

tales o crear auténticas obras de arte [...]. No es A porque en el texto no se mencionan las aptitudes del abuelo, solo se habla de su carácter. No es B porque en el texto se habla de la personalidad de su abuelo y del espíritu de esfuerzo que transmitió a su nieto. No es C porque la única alusión a la vida profesional del abuelo es a su pasado de profesor. **14-C:** *[...] Ante estas situaciones, encontraba un remedio eficaz: contar cuentos. Cuentos que inventaba sobre la marcha, ayudado por su imaginación y su vasta cultura [...].* No es A porque solo se indica que el abuelo acompañaba a su nieto al cine y al parque. No es B porque en el texto se dice que el abuelo tenía una colección de libros, pero no se señala que contara historias a sus nietos. No es D porque en el texto no se menciona que el abuelo narrara historias. Sí se dice que era capaz de inventar, innovar, soñar, etc., lo que no implica habilidades narrativas. **15-B:** *[...] Me enseñó tantas cosas... Gracias a él leí mis primeras novelas [...].* No es A porque en el texto no se hace mención a tal actividad. No es C porque tan solo se indica que el abuelo tenía libros en casa. No es D porque en el texto no se hace mención a tal actividad. **16-D:** *[...] Mi abuelo [...] me demostró que, sin tener una educación reglada, con la ayuda simple de tu curiosidad y tu interés, se puede llegar a saber mucho [...].* No es A porque en el texto no se habla de los estudios del abuelo. No es B porque el texto indica que su abuelo tenía la educación básica. No es C porque en el texto se señala que su abuelo fue profesor.

Tarea 3, p. 12: 17-E: El fragmento eliminado introduce el tema principal en torno al cual gira todo el texto: condiciones y conservación de los alimentos. Este tema se desarrolla en los párrafos posteriores, donde se habla de los envases apropiados para los alimentos. **18-C:** El fragmento está conectado a la oración precedente, ya que *pueden* se refiere a *Estos envases.* La oración del fragmento omitido añade un argumento a la oración inmediatamente anterior. **19-D:** Hay una clara conexión temática entre el fragmento suprimido y el resto del párrafo, ya que este constituye una explicación de la necesidad de calentar los alimentos a una temperatura mayor de lo habitual. **20-H:** El fragmento eliminado está conectado a la oración siguiente, que restringe su validez: los plásticos homologados son seguros. Con todo, los más idóneos son los platos de vidrio y cerámica. **21-B:** El fragmento suprimido es una argumentación claramente conectada con la oración siguiente: la previsión para comprar y cocinar desacredita la validez de las excusas para tender a preparar comida fácil, como el bocadillo. **22-G:** Existe una indiscutible conexión sintáctica entre el fragmento eliminado y *Estos,* que representa a los *empleados* mencionados previamente. Los enunciados que sobran son A y F.

Tarea 4, p. 14: 23-A: que se refiere a toda la oración anterior. Por eso no es posible *el cual,* que representaría *el polvo blanquecino*. Tampoco es posible *lo que:* lo que engañó a la joven fue que *La mujer llevaba el rostro cubierto de un polvo blanquecino*, oración que se representa con *que*, no con *lo que.* **24-C: nada** es una doble negación, que impide la presencia de *algo* tras el adverbio *no.* Imposibilidad del uso de *cualquiera,* pronombre que representa a una persona indeterminada. **25-A: Aunque**. *A pesar de* no es posible, pues exige la conjunción *que* ante un verbo conjugado (*había percibido).* La inadecuación de *Y eso que* se debe a que tiene que aparecer en el segundo miembro de la oración: *Volvió a equivocarse, y eso que le avisé muchas veces.* **26-B: como**. Puesto que es una comparación, no es posible *que*, ya que la construcción *tan...que* expresa consecuencia. No es correcto *porque*, ya que no se establece una relación de causa. **27-C: de manera que**, ya que la oración que encabeza es una consecuencia de la anterior. Ello impide el empleo de *salvo que*, que introduce una excepción o una condición negativa que se puede sustituir por *a menos que. Con motivo de que* no es correcta, puesto que es una locución causal. **28-A: Como** significa *en calidad de* y es una colocación, lo que descarta *por* y *para.* La lengua no admite estas construcciones. **29-B: incluso** añade una información que se considera sorprendente o inesperada. *Siquiera* tiene el mismo carácter, pero en un ámbito negativo, precedido de *ni. Por poco* es una locución que indica que no faltó mucho para que ocurriera algo, es decir, que la acción o situación representada no llegó a ocurrir. **30-B: volverían**. Se trata de un caso de estilo indirecto, que reproduce una oración como *Ya volverán* en pasado. Excluye, por lo tanto, el uso del futuro *volverán* y el carácter informativo impide el empleo del imperfecto de subjuntivo *volvieran*, que representaría un acto exhortativo: *Vuelvan.* **31-A: llegar a ser**. Los tres verbos aquí incluidos expresan una transformación o cambio. Con *llegar a ser* se indica que lo expresado por la acción verbal alcanza una posición elevada en una escala, en este caso, la aparición del dolor: *Lo que comenzó como un juego llegó a ser una obsesión para él.* Con *ponerse*, se habla de un cambio espontáneo, sin señalar si es permanente o no: *Pepe se puso muy nervioso cuando comenzó el examen. Quedarse* significa la permanencia en un nuevo estado, resultado de un cambio: *Le di la noticia y se quedó muy preocupado.* **32-C: debieron**. Los tres verbos expresan probabilidad. *Deber* exige la preposición *de*; *tener*, por su parte, requiere la conjunción *que*. Por último, *poder* no va seguido de partícula alguna. **33-B: que** es un pronombre relativo cuyo antecedente es *la barrera*. Tanto *la cual* como *la que* exigen, bien la presencia de una coma, bien ir precedidas de preposición. **34-B: eso** se refiere a toda la intervención previa de Clara. No es posible *ese*, que necesita un referente de género masculino; tampoco *esa*, que representa una entidad de género femenino. **35-A: en cuanto**. Las tres opciones son marcadores discursivos que se emplean para introducir un tema. *En cuanto* exige la preposición *a*; *a propósito* va seguido de la preposición *de*; *acerca* no lleva preposición después. **36-A: entonces** expresa una consecuencia, con el significado de *en tal caso, siendo así* (lo que indica cierto valor condicional). *Por tanto* es asimismo una partícula consecutiva y, aunque en muchas ocasiones puede ocupar el lugar de *entonces*, aquí no es posible, dada la posición que ocupa dentro de la oración. *Así* es un adverbio que indica *de esta manera, de este modo*, lo que lo hace inviable en este contexto.

Prueba 2

1 **Tarea 1, p. 15: 1-C:** ...no es más que un *catarro* (resfriado)... Voy a darle un *analgésico* (medicina para calmar el dolor). No es A porque la mujer no le pide que vaya a ver al niño. Tampoco es B porque es el hombre, no la mujer, quien dice que quizá le haya sentado mal la comida. **2-A:** Vengo de hacerme *un empaste* (arreglar una caries de una muela). No es B porque *escayolado* es diferente de *vendado*. Tampoco es C porque no es cierto que nunca haya tenido buena salud, sino todo lo contrario: *¡Con la salud de hierro que has tenido siempre!* **3-C:** *...Pues, la pechuga...* (pecho de un ave). No es A porque de postre va a tomar *macedonia* (frutas troceadas), no una *tarta casera*. Tampoco es B porque va a beber *agua del grifo*, no de *botella*. **4-B:** hacer un pequeño *botiquín* (caja para medicinas). No es A porque no van a comprar una *lima*. Tampoco es C porque van a comprar *gasas* (piezas de tela esterilizadas), no una pomada. **5-C:** los jóvenes de hoy en día *no tienen dos dedos de frente* (tienen poco juicio). No es A porque *volver loca* en este contexto significa que le gustan muchísimo las niñas. No es B porque la niña es *clavada* (muy parecida) a su *nuera* (la mujer de su hijo). **6-B:** es *leve* (de poca importancia) y *no creo que le quede luego cicatriz* (señal o marca de una herida ya curada). No es A porque le han llevado a *un ambulatorio* (dispensario médico o farmacéutico sin alojamiento) no a un hospital. No es C porque el niño se ha tomado *un antiinflamatorio* y le han aplicado una *pomada* (es una medicina en forma de crema, no se puede tomar).

2 **Tarea 2, p. 16: 0-A:** *El tabaco acompaña a los fumadores y eso hace que se convierta en un amigo insepara-ble...* **7-A:** *Cuando alguien toma la decisión de dejarlo se enfrenta a una tarea de aprendizaje extraordinaria-mente difícil.* **8-B:** *Yo creo que es fundamental tanto el abordaje multidisciplinar como la buena coordinación entre los centros de salud y todos los especialistas.* **9-C:** *[...] la Unidad de Tabaquismo de La Princesa de Madrid [...] terapias individuales [...] centros de salud y les servimos de apoyo.* **10-B:** *Y si te hablan de esas sustancias [...] Naftalina: hidrocarburo sólido, procedente del alquitrán de la hulla, muy usado como desinfec-tante.* (http://rae.es); *Níquel: metal escaso en la corteza terrestre, constituye junto con el hierro el núcleo de la Tierra, y se encuentra nativo en meteoritos y, combinado con azufre y arsénico, en diversos minerales.* (http://rae.es) **11-C:** *No solo es prevenir recaídas que, efectivamente, son un gran problema y algo prevenible, sino aprender a afrontar la recaída en caso de que se produzca [...].* **12-A:** *[...] eso nos lleva a la clarificación de que hay personas que no son adictas. El verdadero problema de la recaída son los adictos.*

3 **Tarea 3, p. 17: 13-B:** *[...] Cada gesto dice algo de quiénes somos [...].* No es A porque en la entrevista se dice que *el saludo es la primera impresión que ofrecemos a los demás*, no que demos la mano de forma correcta para impresionar positivamente. No es C porque en la entrevista se nos dice que los gestos sí nos definen y el apretón de manos es un gesto más. **14-A:** *[...] los chimpancés, donde los más dominantes extienden una mano abierta a sus subordinados [...].* No es B porque en ningún lugar se dice que las personas subordinadas sean más vulnerables, sino que el empezar tú el saludo te hace más vulnerable. No es C porque en el texto se dice que *hay otras formas de saludarse que son más agresivas, por ejemplo hay unas tribus esquimales que saludan a los nuevos a base de bofetones.* **15-A:** *[...] hay una relación muy directa entre cómo eres tú y cómo das la mano, es decir, que a veces no es fácil cambiar el modo de darla [...].* No es B porque en la entrevista dicen *[...] de las peores, que es con la palma hacia abajo*, no con la mano hacia arriba. No es C porque en el texto escuchamos *Cuidado con las personas que dan la mano así* (con la palma hacia abajo). **16-C:** *[...] si das la mano hacia arriba parece que te estás excusando por algo [...]* No es A porque lo que oímos en la entrevista es que *puede estar bien si el otro te pone su otra mano abajo, porque te está pidiendo disculpas*. No es B porque según la entrevistada, el poner la palma hacia arriba no significa que lo hagas para que el otro se excuse, sino para excusarte tú mismo. **17-B:** *[...] Muy importante es la posición de los pulgares. Si pones el pulgar encima indica superioridad, porque además me obligas a bajar el mío. Si mi mano está hacia abajo o con el pulgar hacia abajo yo, de alguna forma, me estoy dejando dominar.* No es A porque no se dice que el apretón de

manos flojo te impida encontrar trabajo, sino que hay unos estudios donde se demuestra que es más fácil que te den un trabajo si en la entrevista das un apretón de manos fuerte. No es C porque no se dice nada sobre que las mujeres den apretones de manos flojos, sino que *si das un apretón de manos fuerte tienes más posibilidades de conseguir el trabajo, sobre todo si eres una mujer, porque estás destacando.* **18-C:** *Elsa, ¿cuál sería la forma correcta de dar la mano? […] ¡Ah! Y decir el nombre del otro mirándole a los ojos.* No es A porque lo que escuchamos en el audio es que *[…] la mano de frente, nunca abajo o arriba y los pulgares horizontales […].* No es B porque escuchamos lo siguiente: *En principio […] los pulgares horizontales, excepto que quieras pedir perdón.*

4 Tarea 4, p. 18: 19-J: Persona 1 *[…] me quedaba dormido de pie […] me pegaba al muro. Así no me caía en el trayecto.* **20-E: Persona 2** *Les he dicho a mis hijos que me graben para ponerme en YouTube.* **21-H: Persona 3** *Para mí la tele es el mejor somnífero.* **22-C: Persona 4** *Puedo dormirme de pie, sentada, con ruido, luz o lo que sea.* **23-B: Persona 5** *tengo síndrome de piernas inquietas y con eso no se duerme.* **24-A: Persona 6** *[…] las horas que duermo descanso bien.* Los enunciados que sobran son D (las pipas le dan sueño = las pipas no le dan sueño, sino que se duerme incluso comiéndolas) y F (estaba tan aburrida viendo la Capilla Sixtina, que se durmió = no estaba aburrida, sino relajada) e I (está levantado a las tres y media = la Persona 5 es una mujer, así que no puede estar levantado, sino levantada).

5 Tarea 5, p. 19: 25-A: *[…] es un alimento […] se han hecho estudios muy interesantes […] que han demostrado que el chocolate, […] tiene muchos beneficios para salud.* No es B porque el chocolate sí gusta muchísimo a la gente, según el doctor. No es C porque el cacao es el elemento principal del chocolate, no el único. **26-C:** *[…] tiene muchos beneficios para la salud. Por ejemplo, en la salud cardiovascular […].* No es A porque el cacao no cura la diabetes, sino que protege de su desarrollo. No es B porque el chocolate no aumenta la presión arterial, sino que la regula. **27-B:** *[…] Los mexicas (mexica = azteca. No confundir con mexicano/mejicano, de México) fueron los primeros que empezaron a utilizar el cacao como una infusión […].* No es A porque el especialista dice que los *mexicas* tomaban una infusión de cacao por su *efecto calórico*, no que tenga calorías. No es C porque en el texto se dice que Hernán Cortés se dio cuenta de que la infusión de cacao daba energía a sus soldados, no a él. **28-B:** *[…] Para todo el mundo sería altamente recomendable consumir pequeñas porciones de buen chocolate con alta proporción de cacao, pero los temas de mercado no siempre lo permiten.* No es A porque el primer país en hacer chocolate con leche fue Suiza, no Suecia. No es C porque en la entrevista se dice que los Padres Agustinos guardaron el secreto de la infusión de cacao, pero no que lo comercializaran. **29-C:** *Lo ideal sería que todos lo consumieran por la salud preventiva.* No es A porque en el texto se nos dice que el cacao contiene muchas sustancias, entre las que destacan los flavonoides, no que el chocolate contenga muchos *flavonoides*. No es B porque el cacao no es anticoagulante, sino antioxidante. **30-A:** *[…] Entonces cuando uno consume antioxidantes, en este caso flavonoides provenientes del cacao, va a ejercer un efecto protector que va a disminuir el proceso.* No es B porque en el texto se dice que el proceso de oxidación acompaña a la acumulación de colesterol y grasa. No es C porque el doctor aconseja tomar chocolate, pero no en grandes cantidades.

Examen 2 CD I

Prueba 1

Tarea 1, p. 30: 1-B: *[…] Robert Kiyosaki dice tener el secreto para que el dinero se multiplique.* No es A porque se dice que el libro ha estado entre los cinco títulos más vendidos, lo que no significa que sea el más vendido. No es C porque el libro puede ayudar a multiplicar el dinero, pero no exclusivamente a los millonarios. **2-B:** *[…] el padre de su amigo vio en aquella aventura de la pareja de escolares mucho potencial.* No es A porque no se dice que la razón del fracaso fuera que trabajaran por su cuenta. De hecho, no se da ninguna explicación explícita: «La fabricación de monedas fundiendo tubos de pasta de dentífrico, evidentemente, no tuvo éxito». No es C: «Él quería ser rico como sus compañeros de clase». Lo que señala el texto es que el padre de su amigo vio que necesitaban una educación diferente a la proporcionada por la escuela. **3-B:** *Asegura que oro, petróleo y mercado inmobiliario son la clave de su éxito.* No es A porque en el texto no se indica en ningún momento que no le gusten las tarjetas de crédito. Únicamente se menciona su interés por los beneficios en efectivo y por los cheques que llegan a su buzón. No es C porque no se dice que Kiyosaki prefiera los cheques al dinero en metálico, es decir, en efectivo. **4-A:** *El sistema educativo es bueno para la formación de una persona, pero no* *lo es tanto para los negocios.* No es B porque en el texto se dice que los profesores «no pueden enseñar lo que no saben», no que no sepan enseñar. No es C porque en el texto leemos que el sistema educativo es bueno para la formación pero no tanto para los negocios. **5-B:** *Una crisis puede ser un buen principio, si eres joven, para triunfar en las finanzas [...].* No es A porque en el texto se manifiesta que una crisis puede ser un buen comienzo para triunfar. Esta afirmación no significa que las crisis se superen mejor cuando se es joven. No es C porque Kiyosaki recomienda a los empresarios ser conscientes de sus capacidades y tener fe. Eso no implica que los errores estén provocados necesariamente por una falta de confianza en las capacidades propias. **6-C:** *¿Trabajar por cuenta ajena?* Según *Kiyosaki, no nos hará llegar lejos.* No es A porque Kiyosaki considera que hay que comprobar el currículum del socio y que ha de contratarse un abogado para que vigile a tu abogado, pero no se establece ninguna relación de necesidad entre la contratación de un abogado y la presencia de un socio. No es B porque en el texto se indica que ser abogado no hace llegar más lejos que ser cajera de supermercado.

Tarea 2, p. 32: 7-B: *[...] Empezó a gritarme, diciendo que él era el único que sabía cómo debían hacerse las cosas. Y que le importaba muy poco lo que yo pensara, pues mi función se limitaba a cumplir sus órdenes [...].* No es A porque el entrevistado es jefe y mantiene un trato de confianza con sus empleados. No es C porque señala que se sentía incomprendido por superiores y subordinados, pero no habla del carácter de sus jefes. No es D. Se indica que sus jefes eran bruscos e insolidarios, lo que no significa, necesariamente, que fueran arrogantes. **8-D:** *[...] Con el tiempo mi profesión se convirtió en una fuente constante de estrés. [...] en 2008 tuve un ataque de ansiedad. Sentí que me moría allí mismo. [...] Con la excusa de la crisis, empezaron los despidos masivos. Fue entonces cuando decidí que era yo quien debía controlar mi vida.* No es A porque no cuenta ninguna experiencia negativa. No es B porque, aunque relata malas experiencias, no menciona el tema de la salud. No es C ya que el único dato negativo que comenta es: «Muchas veces me sentía incomprendido por ambas partes». **9-B:** *[...] Su inseguridad le impedía confiar en los demás [...].* No es A ni C porque ambos son jefes y mantienen una buena relación con sus empleados. No es D porque Mónica habla de jefes bruscos, insolidarios, insensibles, pero no dice que fueran inseguros. **10-D:** *Ahora ya no busco un lugar donde fichar, sino un proyecto más grande donde realizarme como ser humano.* No es A ni C porque no habla de un futuro trabajo. No es B porque tan solo dice que va a trabajar por su cuenta. **11-D:** *[...] Trabajaba fuera de horario, pero no se reconocía mi esfuerzo. [...] me encontré con la misma situación: demasiados jefes insensibles que pedían resultados imposibles. [...]* No es A ni C porque Javier y Josep son jefes y tratan bien a sus empleados. No es B porque dice que sus jefes eran <u>tóxicos</u> y habla en especial de uno, autoritario y arrogante, pero no precisa que sea ambicioso o poco realista. **12-C:** *[...] Adopté la imagen, falsa, de un profesional estricto. [...] Finalmente me abrí a la autenticidad, a la sinceridad. Empecé a comunicarme con transparencia y honestidad.* No es A porque siempre ha tenido la misma actitud con sus empleados. No es B ni D porque ambos son empleados, no jefes. **13-A:** *[...] Nuestros colaboradores pueden trabajar desde casa y confiamos en ellos cuando nos dicen que están enfermos. [...].* No es B ni D porque no son jefes, sino empleados. Además, no relatan experiencias positivas. No es C porque habla de la buena relación con sus empleados a través del diálogo con ellos para escuchar sus necesidades, pero no menciona el tema de confianza. **14-C:** *[...] comencé a dedicar parte de mi tiempo a escuchar las necesidades de mi equipo, tratando de facilitarles su trabajo sin dejar de exigirles.* No es A porque en el texto no se habla de esta cuestión. No es B ni D porque ambos textos son comentarios de empleados, no de jefes. **15-A:** *[...] Parte de nuestro éxito es que solo contratamos a personas maduras emocionalmente, responsables de generar su propia motivación, que no esperan que los demás las motiven y las hagan felices [...].* No es B ni D porque ambos son empleados, no jefes. No es C porque Josep no habla de esa cuestión, sino de un cambio de actitud que tuvo hacia los demás. **16-A:** *[...] Cuando controlas el horario de tu gente pones de manifiesto que no confías en ellos [...].* No es B ni D porque ambos testimonios pertenecen a personas que no son jefes. No es C porque Josep trasladaba la presión a sus empleados, pero no dice que les controlara.

Tarea 3, p. 34: 17-B: El fragmento eliminado ofrece un contraste entre la *inteligencia* de algunos contenedores y la falta de inteligencia de algunas personas para usarlos. El uso de <u>los</u> con el infinitivo (<u>usarlos</u>), que menciona los contenedores en esta oración, señala la conexión del fragmento con el párrafo. **18-D:** El párrafo que encabeza este fragmento se dedica a enumerar las propiedades de estos contenedores. La conexión sintáctica del fragmento suprimido se establece a través de <u>también</u> y mediante la eliminación del sujeto de <u>saben</u>, que es «los contenedores». **19-A:** Hay una conexión temática entre el fragmento suprimido y la oración precedente («solo se abren si identifican al usuario»). «El objetivo es doble» señala las ventajas que tiene identificar al usuario. Esta identificación permite un buen uso y saber quién (no) recicla. El fragmento eliminado es también una explicación de *Y es que los habitantes de Groningen pagan impuestos [...] ecológico.* **20-C:** Con la introducción del conector <u>además</u>, el fragmento eliminado continúa la enumeración de las características de estos contenedores inteligentes. **21-H:** «Además de compactar la basura [...]» añade otro argumento al tema del párrafo y se relaciona con "no ocupar espacio en la calle", consecuencia de su condición subterránea. **22-F:** Esto se refiere a la oración que comienza el párrafo. Hay una clara conexión semántica entre el fragmento suprimido (que resalta la importancia de la colaboración del ciudadano) y la oración precedente (la importancia de la separación correcta de los residuos).

Tarea 4, p. 36: 23-C: mirando. La perífrasis *quedarse + gerundio* expresa la continuidad de la acción. No existe el uso de *quedarse* seguido directamente del infinitivo (**quedarse mirar*). Sí es posible el uso del participio, pero para referirse al cambio de estado experimentado por un sujeto: *se quedó preocupado, triste, pensativo*. Aquí está mirando **algo**. **24-B: iba**. La perífrasis *ir a + infinitivo* exige la conjugación del verbo en presente o en pretérito imperfecto para mantener su significado de acción futura. **25-C: lo que** no se refiere a un objeto específico. No es posible *el que,* que exigiría un referente masculino, ni *la que,* que requeriría uno femenino. **26-B: solían**. Los tres verbos tienen en común el significado de adquirir o tener una costumbre. Sin embargo, *acostumbrar* y *habituar* necesitan un sujeto personal, mientras que *soler* permite un sujeto personal (en su significado de *tener costumbre)* y también un sujeto de cosa (con el significado de *ser frecuente),* que es la acepción con la que aparece en el texto. **27-A: regalarle**. *Le* representa a Ángel, por lo que es complemento indirecto. Por esta razón no es posible el uso de *lo.* Tampoco es correcto *se* porque el complemento indirecto no es reflexivo en esta oración. **28-A: en**. El verbo *pensar,* en su significado de «evocar» o «recordar» se usa con la preposición *en.* **29-B: algo**. No es posible *nada,* porque para que fuera correcto precisaría de un *no* previo. Tampoco es correcto *algún,* ya que necesita ir acompañado de un sustantivo: por ejemplo, «algún incidente». **30-C: soportaría**. Se trata de un caso de estilo indirecto, donde el verbo introductor (*saber)* se encuentra en pasado, lo que impide la aparición del futuro (*soportaré).* El tratarse de una interrogativa indirecta encabezada por *si* descarta la utilización del subjuntivo *soportara.* **31-A: volviesen**. *Querer* exige el uso de subjuntivo tras la conjunción *que.* En esta oración, como el verbo está en pasado (*quería),* el tiempo de subjuntivo correspondiente es el pretérito imperfecto (*volvieran/volviesen).* Esta es la razón de que el empleo de *volverían* y *volvieron* sea incorrecto, al tratarse del condicional y del pretérito perfecto simple, ambos pertenecientes al modo indicativo. **32-B: si**. *Preguntar,* va seguido de *si* cuando la respuesta esperada es *sí/no.* En la oración del texto no resulta posible el uso de la preposición *por,* válido en contextos diferentes (*preguntar por alguien,* por ejemplo). **33-A: pudiera**. *Antes de que* es una conjunción temporal que exige siempre el subjuntivo, lo que excluye el uso de *podía* y *pudo,* tiempos correspondientes al modo indicativo. **34-C: Quizá**, porque permite tanto el indicativo como el subjuntivo; *igual* rige exclusivamente indicativo. *Es posible* exige el subjuntivo, pero necesita la conjunción *que: Es posible que.* **35-C: le** es complemento indirecto (*pedir algo a alguien)* y representa *a Ángel.* Por eso resulta incorrecto el uso de *lo* (que se referiría a la cosa que se pide) y *se,* ya que el verbo no es reflexivo. **36-C: has**. La conjunción condicional *si* no permite el empleo del presente o del pretérito perfecto de subjuntivo. Tampoco admite el futuro simple y compuesto de indicativo.

Prueba 2

7 **Tarea 1, p. 37: 1-B:** ... *puedo pasar la fregona* (utensilio para limpiar el suelo con agua). No es A porque todavía no han hecho *la mudanza* (el traslado) y tampoco C, porque el estado de los baños y la cocina le resulta *asquerosos* a la chica (le dan asco). **2-C:** ... *llegar a fin de mes* (tener el dinero suficiente para vivir). No es A porque Manolo no pide un *enchufe* sino una *linterna* (aparato que da luz).Tampoco es B porque está roto *el enchufe*, no el *interruptor.* **3-A:** El segundo piso del que hablan da a un *patio interior*, es decir, no tiene mucha luz y eso no les gusta. El que deciden comprar no *está por las nubes* (no es muy caro); no es B porque van a dar *una mano* (una capa) de pintura, no van a pintar a mano; tampoco dicen que quieran un piso nuevo, sino que el piso elegido va a quedar *como nuevo* (opción C). **4-C:** El hombre dice que le ayudarán todo lo que puedan (*haremos todo lo que esté en nuestras manos).* No es A porque no se dice que vaya a ingresar dinero; ni tampoco es B, porque la mujer quiere *invertir*, no gastar. **5-C:** el cálculo del coste de la reforma es el *presupuesto.* No es A porque ella no tiene claro lo que quiere hacer (*pensaba... pero necesito ideas)* y no es B porque se dice que el portero *puede enseñar* el piso, no que lo *enseñará.* **6-A:** La mujer va a ir al *Servicio Público de Empleo* y va a *hacer los papeles* para *cobrar el paro.* No es B porque a la mujer le gustaría jubilarse *(¡Ya me gustaría*!), pero no puede; tampoco es C porque dice que no tendrá que trabajar *de sol a sol* (muchas horas al día), no que vaya a trabajar al aire libre.

8 **Tarea 2, p. 38: 0-A:** *Mi situación es más circunstancial que personal...* **7-B:** *Conozco en primera persona lo que es vivir sin pareja a partir de cierta edad y teniendo que recomponer tu círculo de amigos, tu círculo social.*

8-B: [...] *si antes uno venía a tres fiestas al mes, a lo mejor ahora viene a una.* **9-A:** *Compras leche, compras lo que sea y te sobra por todos los lados y caducan [...].* **10-C:** *[...] lo mejor es estar solo en tu casa, poner los pies en la mesa y que nadie te dirija la palabra.* No dice que los solteros suelan poner los pies sobre la mesa. **11-A:** *Tienes que organizarte y ser más responsable cuando compartes.* **12-B:** *De lo que dispone el soltero es de más tiempo para disfrutar de su ocio.*

9 Tarea 3, p. 39: 13-B: *[...] porque se ha convertido en una especie de cliché el decir: «¿Qué tal si nos vamos a comer y allá hablamos?» [...].* No es A porque en la entrevista se dice que el tema de la etiqueta en las comidas de negocios es interesantísimo, no que el ir a una comida de negocios lo sea. No es C porque en el audio dicen que a veces una comida de negocios es contraproducente para la imagen pública y profesional, no personal. **14-C:** *La pregunta es ¿quiero hacer negocio o quiero agasajar a la contraparte? Después decidirás plantear una comida de negocios, o que vayan a tu oficina u organizar un desayuno de negocios [...].* No es A porque en el texto la presentadora dice que *«mucha gente hace comidas para socializar»*, no que se socialice en ellas. No es B porque en el texto se dice que *«lo primero que tenemos que saber es qué objetivos tenemos. Si el objetivo es hacer negocios, no hagas comidas de negocios»*, luego no se habla concretamente de objetivos profesionales. **15-C:** *[...] les cuento algunos de los beneficios de un desayuno de negocios [...].* No es A porque en la entrevista dicen que *tienes el compromiso de regresar a la oficina porque tienes citas después del desayuno*, pero no se habla de los compromisos tras la comida. No es B porque en la entrevista se afirma que un desayuno de negocios «no involucra alcohol y por eso se convierte en algo más profesional», pero no se dice que no se pueda pedir alcohol, si así lo deseas. **16-C:** *[...] las buenas maneras prevalecen [...].* No es A porque en la entrevista no se escucha que las mujeres puedan decidir si beben o no alcohol. De hecho escuchamos que *en los negocios no hay género.* Lo mismo se aplicaría a B porque no se dice nada sobre que los hombres siempre beban alcohol en las comidas de negocios. **17-B:** *[...] paga quien invita a comer [...] En cuanto a la reservación y todo eso, la persona que al final tiene que pagar [...].* No es A porque lo que escuchamos es *[...] Vamos a ver ahora la parte de quién paga. Esto entra en el sentido común: paga quien invita a comer*, no que sea de sentido común pagar cuando te invitan a comer. No es C porque lo que se dice en el texto es que *la contraparte tiene que hacer el intento, mínimo, de sacar la tarjeta cuando llega la cuenta [...].* **18-A:** *[...] Y si tienes que tomar una llamada urgente, te paras y te retiras pidiendo disculpas, pero no lo tomes en la mesa [...].* No es B porque lo que escuchamos en el audio es: *Tampoco uses palillos, que pareces un mafioso. [...]*, no que los mafiosos usen palillos por norma. No es C porque lo que se dice en el audio es que si tienes que hacer una llamada o cualquier otra cosa no debe hacerse en la mesa, sino en el baño.

10 Tarea 4, p. 40: 19-B: Persona 1 *La base de salario emocional es que el trabajador se sienta parte de la empresa [...] Hay diferentes mecanismos que pueden aumentar la motivación de un trabajador.* **20-J: Persona 2** *Este año 43 empresas españolas han conseguido entrar en el* top employers *de España, una auditoría que se hace para saber qué empresas son las mejores para trabajar.* **21-I: Persona 3** *En vez de pagarnos con dinero, como se venía haciendo hasta ahora, [...].* **22-A: Persona 4** *[...] esta cosa absurda que tienen tantos trabajos de que tienes que quedarte allí hasta que el jefe se levante y se marche [...] es el peor de los casos posibles para que haya una productividad favorable [...].* **23-D: Persona 5** *[...] cómo nos auto motivamos cuando tienes impagos, cuando esperas un año para cobrar facturas o cuando la retribución la percibes mucho después de finalizar el proyecto...? [...].* **24-F: Persona 6** *Nosotros querríamos tener un salario emocional, porque en dinero tampoco lo tenemos pero no lo queremos, pero un trato mejor sí.* Los enunciados que sobran son E *([...] el* menú cafetería, *que consiste en ofrecer a los empleados una serie de beneficios para que ellos puedan elegir los que quieran)*, G (*A mí me gustaría que si no me pudieran pagar en dinero, que me pagasen en tiempo*) y H *([...] si no recibimos un sueldo a final de mes quizá nos apuntaríamos en una ONG o realizaríamos o un voluntariado).*

11 Tarea 5, p. 41: 25-A: *[...] hace dos semanas aproximadamente les llamé contando mi problema [...].* No es B porque en el audio se dice que el dueño de la churrería les cede el local generosamente, sin pedir nada a cambio. No es C porque aunque se dice que el local llevaba cerrado dos años y pico, no se dice que esta sea la causa de que el dueño lo ceda gratis. **26-B:** *[...] la antigua churrería Merino, propiedad de D. Alfonso Merino, que no nos cobra alquiler [...].* No es A porque Julio explica que cocinan en un complejo hotelero, no que el local esté instalado allí. No es C porque en el audio se explica que hay dos familias entre los 16 beneficiados del comedor social. **27-C:** *Este hombre tuvo conocimiento del tema, se lo remitió a su yerno, que es, a su vez, amigo mío [...].* No es A porque en la entrevista escuchamos que Julio se movió por las asociaciones de vecinos para ver quién era la gente necesitada, no entre los vecinos de su edificio. No es B porque Julio dice que utilizan las bandejas térmicas en el local para servir la comida que, previamente, cocinaron en el hotel. **28-B:** *El local no reúne los re-*

quisitos para cocinar [...]. No es A porque Julio dice que no conoce mucho al dueño del local. No es C porque Julio explica que D. Alfonso «no vive con mucha anchura», es decir, no vive con mucho dinero. **29-C:** *[...] ya estamos encontrando ayuda por parte de una frutería [...] Dos supermercados también se han comprometido para, a partir de primeros de mes, ofrecernos productos así como una pescadería.* No es A porque escuchamos que ya hay una frutería que ayuda. Son los supermercados los que lo harán *a partir de principios de mes.* No es B porque Julio dice: *[...] hoy, por ejemplo, el desayuno ha sido café con leche o Cola Cao con repostería,* pero no que mañana vayan a poner lo mismo. **30-A:** *[...] empezamos hace tres días [...].* No es B porque lo que Julio dice es que han trabajado mucho para poder abrir el comedor social: *Hemos ido volando y sudando, rápidamente... No se pueden hacer ustedes una idea [...].* No es C porque en el texto se dice que con poquito (dinero) se consigue mucho, no con un poco de esfuerzo.

Examen 3 CD I

Prueba 1

Tarea 1, p. 52: 1-C: *[...] contra todo pronóstico, están descendiendo mundialmente los índices de violencia.* No es A porque se dice que Pinker ha descubierto *lo que demasiados se empeñaban en ocultar.* Es, por tanto, una tesis que contradice la opinión general. No es B porque se señala no que los científicos estén contra la tesis de Pinker, sino que la teoría ha intentado ocultarse. **2-A:** *El cultivo del campo y el sedentarismo agrícola habrían conllevado penas sin fin [...].* No es B: *La gran mayoría de historiadores y arqueólogos nos cuentan que hace unos 10 000 años, [...] el mundo era mucho mejor [...] que después de establecerse en un terreno e inventar el Estado.* No es C porque se afirma que la vida nómada era mejor que la agrícola, pero no mejor que la actual. **3-C:** *Sin embargo, no solo no se ha podido comprobar esta tesis... [La gran mayoría de historiadores y arqueólogos nos cuentan que hace unos 10 000 años (...) el mundo era mucho mejor], sino que se acaba de demostrar todo lo contrario.* No es A, pues se señala que la causa de la muerte era la violencia: *La probabilidad de que los hombres perdieran la vida a manos de sus semejantes oscilaba en torno al 50%.* No es B, porque la reducción de muertes es muy superior al 50%: cien millones. **4-C:** *Por no hablar del cambio favorable en las costumbres, como la disminución, primero, y supresión, después, de la tortura, las penas de muerte por criticar a los reyes o la crueldad hacia los animales por entretenimiento.* No es A: *El índice de asesinados en la Edad Media era de unos cien por cada 100 000 habitantes; [...].* No es B porque en el texto se enumeran algunas mejoras respecto al pasado, pero no se establece ningún orden cronológico. **5-A:** *[...] la tecnología posibilitó que el mundo no se dividiera entre quienes no tenían nada y los que poseían todo.* No es B porque lo que realmente se afirma es que *[...] la prolongación de la esperanza de vida disminuyó la agresividad característica de un mundo cruel.* No es C, porque no se señala que el ataque de animales fuera el factor principal sino: *[...] donde antes de los 30 años lo más probable era que te comiera una leona.* **6-B:** *[...] la historia de la evolución demuestra que el círculo familiar restringido en el que se ejerce el altruismo se amplía con el paso del tiempo [...].* No es A porque lo que se afirma en el texto no es que la familia sea más amplia, sino que es mayor el círculo al que se aplica el altruismo. No es C pues no se dice que la generosidad sea mayor fuera de la familia, sino que no se limita únicamente a la familia: *el círculo familiar restringido en el que se ejerce el altruismo se amplía con el paso del tiempo.*

Tarea 2, p. 54: 7-A: *Con ellas he tenido la oportunidad de colaborar en múltiples ocasiones a lo largo de mi corta carrera.* No es B porque Lucía no indica si trabaja o no en la actualidad. Además, comenta que, cuando hizo el curso, *no tenía formación ni experiencia.* No es C porque María no habla sobre su experiencia laboral. No es D porque Silvia no se refiere a esta cuestión. **8-B:** *Es muy agradable ver cómo gracias a ti aprenden y avanzan en sus conocimientos.* No es A porque no habla de su experiencia en las clases. No es C porque indica que con las clases prácticas fue sintiéndose cada vez más cómoda, entre otras cosas, porque los alumnos estaban muy interesados. *Estar cómoda* no es lo mismo que estar motivada. No es D porque explica que la actividad de dar clase se convirtió en un hábito, pero no indica sus sentimientos al respecto. **9-B:** *Esto también se consigue observando las clases de los demás, que, por cierto, no es nada aburrido, al contrario, ¡divertidísimo!* No es A ni D porque no comentan sus experiencias al respecto. No es C porque explica que la observación de clases da muchas ideas y estimula la creatividad, pero no indica que sea divertida. **10-C:** *[...] me fui relajando y sintiéndome cada vez más cómoda. Primero, porque al ser nativa estás más segura de ti misma [...].* No es A porque Miguel enseña en un centro de Secundaria, es decir, no enseña a extranjeros. Además, tampoco menciona nada sobre su seguridad en sí mismo. No es B porque Lucía afirma que superó sus inseguridades en las prácticas de clase que realizó. No es D porque dice que se siente segura por haber hecho el curso y aprendido de sus errores. **11-A:** *Su enfoque, comunicativo y moderno, sorprende al principio por su novedad [...].* No es B, ni C ni D porque no se refieren a esta cuestión. B habla de la utilidad del curso; C señala que fue fantástico el ambiente y D indica que disfrutó mucho. Ninguno de ellos menciona que el curso les resultara sorprendente por su novedad. **12-C:** *[...] el hecho de ver a tus compañeros dar clase te da muchas ideas, a la vez que estimula tu capacidad creativa [...].* No es A porque no habla de esta cuestión. No es B porque Lucía señala que los comentarios del profesor y de los compañeros tras observarla dando clase le ayudaron a mejorar, pero no comenta nada sobre la creatividad. No es D porque Silvia no habla sobre esta cuestión. **13-A:** *Esta academia marcó el principio de mi camino profesional [...].* No es B ni C porque no hablan de su vida profesional. No es D porque Silvia no indica si está o no trabajando. **14-D:** *[...]* y *he aprendido mucho de mis errores, lo que me ha dado una seguridad sin la cual se hace todavía más difícil la búsqueda de empleo.* No es A porque el texto no se refiere a esta cuestión. No es B porque Lucía afirma que aprendió mucho de los comentarios del profesor y de los compañeros, pero no habla de sus errores. No es C porque María habla de su miedo a hablar en público y de sus nervios, pero no hace mención a sus errores. **15-C:** *[...] me fui relajando y sintiéndome cada vez más cómoda. [...] porque los alumnos que estudian español están muy interesados en el idioma y en la cultura; [...].* No es A ni D porque no hacen comentarios sobre los estudiantes. No es B porque habla de los resultados de la enseñanza (*Es muy agradable ver cómo gracias a ti aprenden y avanzan en sus conocimientos*) pero no especifica cuál fue la actitud de sus estudiantes. **16-D:** *Una de las cosas que más me gustó del curso es que ofrece una combinación perfecta de teoría y práctica.* No es A, pues no menciona esta cuestión. No es B porque, aunque habla de la parte teórica y de la práctica, no se refiere a la proporción de cada una en el curso. No es C porque María comenta <u>únicamente</u> los aspectos prácticos del curso.

Tarea 3, p. 56: **17-H:** El fragmento eliminado contrasta las desventajas del petróleo (caro, escaso) con las ventajas ofrecidas por la electricidad. **18-B:** El párrafo comienza señalando las ventajas de los vehículos eléctricos. El fragmento suprimido, encabezado por *Sin embargo*, señala los inconvenientes. La oración siguiente se conecta al fragmento eliminado mediante *Algunos de ellos*, donde *algunos* se refiere a los *inconvenientes.* **19-G:** El fragmento eliminado está conectado temáticamente a la oración *Su generalización [...] y zonas urbanas*. *También* muestra la conexión de la oración que introduce con el fragmento suprimido. **20-D:** El párrafo donde se encuentra este fragmento está dedicado a la bicicleta. En el fragmento eliminado se habla de un subtipo de bicicletas, las eléctricas. A su vez, *Estas*, en la oración que sigue, se refiere a *las bicicletas eléctricas.* **21-C:** El párrafo se centra en la precisión del concepto de *emisiones contaminantes*. La oración que sigue al fragmento eliminado está conectada semánticamente (el tema es la contaminación) y también sintácticamente, a través de *este.* **22-E:** La oración previa al fragmento suprimido habla de la importancia de tener en cuenta toda la vida útil del vehículo a la hora de valorar el grado de *emisiones contaminantes*. El fragmento eliminado es un ejemplo que sirve de argumento a esa afirmación: la energía usada en la fabricación o en la vida del vehículo puede proceder de fuentes contaminantes o limpias. El fragmento que se ha quitado sirve de ejemplo y a su vez se conecta con la última línea del texto, que habla de la importancia de tener en cuenta todas las fases de vida del vehículo.

Tarea 4, p. 58: **23-A: Sin embargo**. La oración presenta un contraste con lo anterior. Por eso no es posible *mejor dicho*, que sirve para reformular, ni *puesto que*, que introduce una explicación. **24-C: para**. Aquí se expresa la finalidad del título «Historia de una dedicatoria». No es posible *por,* que indica causa. Tampoco es correcto el empleo de *a* con el verbo *servir*. **25-B: sucedió** se refiere a una acción terminada (*Lo primero que sucedió entonces fue que...).* No es posible *sucedía,* que hablaría de una situación en desarrollo, no terminada en el momento en que se cuenta. No es correcto el subjuntivo *sucediera,* pues aquí se nos habla de algo conocido, específico: *todos los allí presentes desenfundaron sus teléfonos* móviles. **26-A: En cuanto**. Introduce una oración temporal. No es posible *Por cierto,* usado para introducir un comentario distinto al tema del que se habla. Tampoco lo es *En particular,* utilizado para especificar o concretar un aspecto del tema que se está tratando. **27-C: desde que**. *Desde* indica el punto de origen de un hecho o situación que continúa en el presente. No es correcto *desde cuando*. Sí es posible *desde cuándo* en una interrogativa (*¿Desde cuándo* estás aquí?). *Desde hace* siempre va seguido de una cantidad de tiempo (*Estoy aquí desde hace una hora*). Por último, la opción correcta *–desde que–* es la única que exige tras ella un verbo conjugado. **28-A: Durante**, seguido de una cantidad de tiempo, expresa la simultaneidad de un acontecimiento con otro. Las otras dos opciones también indican duración. *Entretanto* va seguido de coma (,). *Mientras que* precede a un verbo. **29-C: En concreto** especifica el referente de la oración anterior (*idénticos interlocutores*). No es posible *A propósito,* usado para introducir un comentario distinto al tema del que se habla. Tampoco es correcto *En fin,* que significa, según el contexto, *finalmente* o *en pocas palabras*. **30-B: la**. Cuando el objeto directo aparece antes del verbo (*Esta clase de llamada*), es obligatoria la presencia del pronombre después de él. Como *clase* es de género femenino, el pronombre correspondiente es *la,* no *lo.* No es posible *se* porque la acción no es reflexiva (*Pepe se peina*, donde *se* sería objeto directo) y tampoco hay un objeto indirecto (*Pepe se lo dio* [*se* = *a alguien*]). **31-C: tenía**. Las oraciones causales como esta, encabezada por *porque,* van seguidas de indicativo. Solo llevan subjuntivo cuando *porque* está precedido de *no.* Por eso, son incorrectas las opciones *tuviera* y *haya tenido,* pues pertenecen al subjuntivo. **32-A: acercándome**. El gerundio expresa aquí temporalidad: *mientras me acercaba.* El infinitivo no puede significar uso temporal por sí solo. La combinación *le pregunté me acerqué* es incorrecta. **33-B: habría gustado**. Aquí se expresa una situación hipotética en pasado, es decir, *la conversación no se alargó.* Este significado implica la imposibilidad de usar *gustó* en este contexto, pues significaría que la acción ocurrió. No es posible emplear *gustara,* pues es un tiempo de subjuntivo y no puede aparecer como verbo principal. **34-C: Como**, cuando es una conjunción causal, aparece siempre en primera posición oracional. Eso la distingue de *debido a que* y de *porque,* que figuran siempre en segunda posición. **35-B: de**. *Darse cuenta* exige la preposición *de.* Por esta razón son incorrectas las preposiciones *en* y *hasta.* **36-A: por,** ya que se indica la causa de *me mordí la lengua*. Este sentido causal no puede ser transmitido por *para* y, en esta frase, tampoco por *de.*

Prueba 2

13 Tarea 1, p. 59: 1-B: Los temas del examen (densidad, superficie… temas de ciencias) *se le dan bien* (le resultan fáciles) a Marina. No es A porque Jaime pregunta qué tal *le ha salido* (ha hecho) el examen, no *qué le ha salido* (qué le han preguntado) en el examen. No es C porque no se dice que estudiando mucho puede aprobar, sino todo lo contrario: *…por mucho que estudie…* (aunque estudie mucho… se sobreentiende que no aprobará). **2-C:** El ordenador se ha detenido (*se me ha vuelto a bloquear* el ordenador y en *la pantalla… no aparece nada).* No es A porque María pide que *le eche una mano* (que le ayude), no que le arregle el ordenador que tiene *a mano* (cerca). No es B porque dice que no se mueve (*qué va) el cursor* (la flechita indicadora de la pantalla). **3-A:** Necesita como mínimo un notable (un notable o más) y la hija lo tiene en el bachillerato, pero no en el examen de Prueba de Acceso a la Universidad. No es B porque se dice que la hija ha intentado primero ir a la universidad pública, pero no ha tenido nota suficiente. No es C porque es el orientador, no la hija, el que dice que tiene una *prueba de acceso bastante dura* y que *no le van a regalar nada.* **4-C:** las becas están plenamente aseguradas para todos *los estudiantes sin recursos* (que tengan poco dinero) y que *obtengan buenos resultados académicos* (aprueben todas las asignaturas). No es A porque solo se garantiza las ayudas económicas (becas) a los buenos estudiantes sin recursos, no en general a cualquiera. No es B porque la enseñanza es gratuita hasta los 18 años solo en los centros públicos. **5-B:** Los trabajos deben presentarse *en folios blancos* (tienen que ajustarse a un tamaño de papel determinado). No es A porque las *tablas, gráficos y porcentajes* deben ser resultado de la investigación, no información buscada. No es C porque el trabajo debe constar de cinco páginas *como mínimo* (cinco páginas o más) no *como mucho* (cinco páginas o menos). **6-B:** La madre reprocha al hijo que falte a clase (*cada dos por tres)* y que no atienda (*que hable por los codos*). No es A porque el hijo dice que *se quedó en blanco* (se bloqueó), no que el examen fuera difícil. Y no es C porque el tutor le dice que va a repetir *como siga así*, es decir, si no cambia de actitud; no que sea seguro que repita curso.

14 Tarea 2, p. 60: 0-B: *Hace más de veinticinco años que tenemos un profesorado preparado para hacer relajación en clase con los alumnos.* **7-C:** No lo dice ninguno de los dos porque Berta dice *[…] y los maestros han comprobado que mejora el rendimiento escolar*, pero no que mejore su propio rendimiento. **8-C:** No lo dice ninguno de los dos porque Luis dice que estas técnicas son beneficiosas en cuatro áreas, no habla de cuatro motivos beneficiosos. **9-B:** Berta dice: *No se trata solo de que los alumnos tengan mejor currículum, sino de estar pendientes de ellos (los alumnos), de sus éxitos.* **10-A:** Luis afirma que *[…] llegamos a la conclusión de que solo hay nueve habilidades […] la postura […].* **11-C:** No lo dice ninguno de los dos porque Luis dice *El docente aprende estos nueve recursos poco a poco*, no que *deba* usarlos poco a poco. **12-A:** Luis dice: *Cualquiera es excelente en cosas que la escuela no acaba de medir.*

15 Tarea 3, p. 61: 13-A: *Hoy en día, no hace falta salir de España para tratar un cáncer.* No son B y C porque esas afirmaciones no las hace el doctor Barbacid, sino el presentador: *¿Por qué la gente acude a Houston y se gasta el dinero que a menudo no tiene para buscar un remedio que puede encontrar aquí? […] y la mitad de* *los enfermos se cura de determinados cánceres...* **14-C:** *[...] hay cánceres que se curan en mayor proporción y otros que se curan en menor proporción.* No es A porque lo que se dice en el texto es que hay más cánceres que enfermedades infecciosas. No es B porque en el audio no se dice nada sobre la posible confusión del sarampión con otras infecciones. **15. A:** *[...] no podemos hacer nada por evitarlo: cáncer vamos a tener. Cuanto más vivamos más probabilidades habrá, como principio general [...].* No es B porque lo que se dice en el texto es que el cáncer forma parte de nuestra vida y que lo que es una tragedia es que podamos evitar el cáncer de pulmón si no fumamos y aun así la gente siga fumando. No es C porque lo que oímos en el audio es que *el cáncer de pulmón inducido por el tabaco es perfectamente evitable si dejáramos de fumar.* **16-B:** *[...] hay un ambiente de creatividad, de competitividad [...].* No es A porque en el audio se dice que entre los científicos hay un ambiente de creatividad y competitividad, no que la creatividad sea la cosa más importante. No es C porque en la entrevista escuchamos: *en nuestro mundo, el publicarlo tres meses antes que otro es fundamental,* no que haya que publicar cada tres meses. **17-A:** *[...] La investigación tiene un sistema administrativo muy rígido.* No es B porque lo que dice el doctor Barbacid es que el sistema administrativo en la investigación es rígido, no el sistema de la investigación en sí mismo. No es C porque en el audio escuchamos que el CNIO no tiene que utilizar el rígido procedimiento administrativo general. **18-C:** *No es falsa modestia: no es bueno creer que uno contribuye de una forma excepcional a algo... Hay que seguir trabajando.* No es A porque en el audio escuchamos que te vuelves modesto cuando sales de España y ves a otros investigadores importantes, no que cuando eres modesto salgas de España. No es B porque lo que dice Barbacid es que a él le haría más daño la burocracia que la envidia, en condicional.

16 Tarea 4, p. 62: 19-G: Persona 1 *Ahora estoy imaginando por ejemplo una simulación espectacular que existe en Second Life sobre la antigua Roma [...].* **20-A: Persona 2** *Otra capacidad de los mundos virtuales sería la construcción en 3D.* **21-F: Persona 3** *Nosotros, como profesores, podemos tener un registro de todo lo que se ha chateado, lo cual es muy útil [...] y luego lo podía valorar o corregir.* **22-C: Persona 4** *Para menores de 18 años, existen otras plataformas mejores que Second Life.* **23-J: Persona 5** *En mi instituto tenemos un mundo virtual [...] que estos mundos no sean algo externo al currículo o a nuestras clases.* **24-H: Persona 6** *Nos da miedo entrar en un mundo virtual o entorno 3D; para nosotros es nuevo, pero para los alumnos no.* Los enunciados que sobran son B (*Otra capacidad de los mundos virtuales sería la construcción en 3D [...] unas reproducciones fantásticas que hay de unos cuadros de Van Gogh, donde el avatar entra dentro del propio cuadro*), D (*En mi instituto tenemos un mundo virtual con nueve islas. Cada isla se corresponde con una asignatura*) y E (*Hicimos una tarea de lengua [...]*)

17 Tarea 5, p. 63: 25-C: *[...] las desventuras del cohete experimental diseñado por el científico Dr. Richards, al atravesar una tormenta de rayos cósmicos en su vuelo de prueba.* No es A porque en el audio se nos dice que Batman y Superman son las estrellas de la editorial DC Cómics, no que sean unos superhéroes estrella del cómic en general. No es B porque Marvel no creó *Los cuatro fantásticos*, sino Stan Lee y Jack Kirby. **26-B:** *Al llegar a la Tierra, los cuatro pasajeros de la nave, incluido el científico creador de la misma, descubren que habían sido transformados [...].* No es A porque en el audio escuchamos que quien se volvió invisible era una mujer. No es C porque escuchamos *que poseían nuevas e inquietantes habilidades*, no que disminuyeran. **27-A:** *Son partículas cargadas que viajan por el Universo a una velocidad cercana a la de la luz.* No es B porque lo que escuchamos es que *[...] El campo magnético terrestre y la atmósfera nos protegen de esta lluvia continua [...],* no que la lluvia sea de la atmósfera. No es C: *[...] chocan contra la atmósfera terrestre, y al hacerlo se descomponen en otras partículas secundarias menos energéticas [...].* **28-A:** *Podemos distinguir entre tres tipos de rayos cósmicos, según su energía y su origen.* No es B porque en el audio se dice que los rayos cósmicos procedentes de los vientos solares son *los menos energéticos* (tan solo 1 000 000 de electronvoltios. La energía de los rayos X con los que nos hacen una radiografía es del orden de 50 000 electronvoltios). No es C porque en el audio escuchamos *explosiones de las estrellas* supernovas. *Estas estrellas expulsan gran parte de su materia y de su masa*, no de la masa de las estrellas en general. **29-B:** *Su origen es aún una incógnita.* No es A porque lo que escuchamos es que los rayos cósmicos más energéticos tienen *una media de uno por km² cada siglo*, no que afecten a 1 Km cada siglo, (km frente a km²). No es C porque escuchamos *Me niego a decir cuántas radiografías es eso*, no que se niegue a hacerse radiografías. **30-C:** *[...] a la larga puede generar cáncer o mutaciones genéticas que se podrían transmitir a nuestra descendencia.* No es A porque no escuchamos que digan que los rayos pequeños afecten a las células y al ADN (no se habla del tamaño de los rayos cósmicos), sino que sus partículas son tan pequeñas que pueden entrar en nuestras células y dañar el ADN. No es B por la misma razón que no es A, ya que en el audio no se dice nada sobre el tamaño de las células.

Examen 4 CD I

Prueba 1

Tarea 1, p. 74: 1-B: *La cultura musical y su educación constituyen un fenómeno que en España funciona a rachas intermitentes de optimismo.* No es A porque en el texto no se señala que el folclore sea responsable de la falta de tradición musical en el pop y en el mundo sinfónico. No es C porque el texto habla de la existencia de dos tendencias, no de la preferencia de una sobre otra: *[...] las bandas municipales y Los Brincos, contra La Filarmónica de Berlín y los Beatles.* **2-B:** *[...] se creó una red amplísima y razonablemente eficaz de escuelas municipales de música.* No es A porque las escuelas son municipales, es decir, están gestionadas por los ayuntamientos, no por las comunidades autónomas. No es C: aunque en un fragmento posterior se habla de los recortes, en este párrafo no se dice que la inversión haya sufrido recortes, sino que *es posible que los recortes que devastan la cultura en España se las (las escuelas de música) lleven por delante.* **3-A:** *La idea de estos centros, nacidos en 1992, no solo era localizar a futuros talentos musicales, sino fomentar la cohesión social [...].* No es B, pues se señala que una de las bases fundacionales de estos centros es crear un público más joven en los auditorios, no que el público acuda a los centros. No es C porque lo que se dice en el párrafo es que la intención de los centros es *localizar a futuros talentos musicales*, lo que no significa que los estudiantes de los centros sean ya talentosos. **4-C:** *Enrique Subiela, músico, se refiere a la falta de una auténtica afición formada que acuda a las salas.* No es A: *Cada vez más españoles ocupan puestos de primer nivel en orquestas europeas.* Esta afirmación no significa que en España no encuentren trabajo. No es B porque en el texto se dice que España *está a la cabeza de Europa* en número de conservatorios. Es decir, es el país con mayor número de conservatorios, pero eso no significa que tenga más conservatorios que la suma de todos los países europeos. **5-B:** Los estudios musicales ayudan a los alumnos *[...] a concentrarse, a trabajar en equipo, a dirigir, a no hablar cuando el otro habla [...].* No es A porque lo que se afirma en el texto es que *los alumnos que estudian música suelen tener éxito en el resto de estudios.* Se trata, por tanto, de una amplia mayoría, pero no de la totalidad de estudiantes. No es C porque lo que dice el texto es que estudiar música (es decir, la disciplina musical) ayuda a concentrarse, no que sea necesario escuchar música para concentrarse en el estudio. **6-C:** *[...] una formación adecuada se da con una buena selección de alumnos y buenos profesores.* No es A: *Pero no soy tan ingenuo como para pensar que hay una relación directa entre el dinero y la calidad.* No es B: *Es verdad que el nivel de instrumentistas ha subido en España, pero tengo dudas de que vaya asociado a la educación.*

Tarea 2, p. 76: 7-B: *Quizá ellos puedan revelarte algunos secretos y trucos para aprender a bailar de una manera más fácil. Estudia su técnica y pídeles consejo [...].* No es A porque en el texto se habla principalmente de los pasos previos a la elección de una escuela de baile. No es C porque David insiste en la importancia de la práctica, sin referirse a las relaciones con los compañeros de las clases de baile. No es D: el texto tiene como tema principal la relajación y las posturas corporales. **8-D:** *Vigila también tu postura, pues es de suma importancia en todos los tipos de baile y además unos malos hábitos aumentarán tu estrés.* No son A ni B porque en ellos no se menciona esta cuestión. No es C porque habla de la importancia del calentamiento y de los estiramientos, pero no se refiere a las consecuencias psicológicas de una mala postura. **9-C:** *No olvides que los ejercicios de calentamiento y estiramiento [...] le dan a tu cuerpo la flexibilidad y fuerza necesarias para bailar con precisión y fluidez. [...] Lo mejor es establecer una rutina diaria de calentamiento y estiramiento.* No son A ni B porque ambos textos no tratan cuestiones relativas a los aspectos físicos implicados en el baile. No es D porque en este texto se habla de la relajación y de la postura corporal. **10-C:** *Todos los procesos de aprendizaje requieren muchísimas horas de práctica y estudio, pero esto no basta. Saca tiempo varias veces a la semana para practicar lo que aprendes en tu clase de baile.* No es A porque en este texto se habla de la búsqueda de la clase de baile y del profesor adecuado. No son B ni D porque en el primero se habla de la importancia de no sentir envidia de los compañeros y en el segundo de la necesidad de una buena postura, temas que no tienen nada que ver con esta pregunta. **11-B:** *No pierdas el tiempo sintiéndote menos que tus compañeros de clase porque ellos parecen avanzar más que tú.* No es A porque Andrés habla del sentimiento de ridículo, no de inferioridad. No es C, que se centra en los aspectos físicos del baile, en la práctica y en el trabajo constante. No es D, pues habla del estrés y de la importancia de la relajación, pero no del sentimiento de inferioridad. **12-A:** *Date tiempo para encontrar una clase de baile con el maestro que mejor se adapte a tus necesidades, personalidad y preferencias.* No son B, C ni D porque en estos tres textos no se habla de las características que debe tener el profesor de baile. **13-B:** *Todos tenemos nuestros puntos fuertes y nuestros puntos débiles.* No es A: habla del miedo a hacer el ridículo, nada más. No es C porque se centra en cuestiones de aprendizaje y práctica, sin comentar aspectos psicológicos. No es D: habla de las preocupaciones y del estrés, pero no del análisis de nuestros puntos fuertes y débiles. **14-A:** *El primer paso [...] es una acción interna [...] Respira profundamente y conéctate a tu alma [...].* No son B ni C porque en ambos se dan consejos para aquellos que ya han iniciado las clases de baile. No es D: en el texto se mencionan cuestiones físicas y psicológicas relacionadas con las posturas corporales, pero no se habla de la reflexión previa a la matriculación en una escuela de baile. **15-D:** *[...] las emociones y los pensamientos negativos afectan a tu cuerpo y a tu capacidad para bailar con armonía.* No son A ni C porque no hablan de esta cuestión. No es B porque se refiere concretamente a la envidia como algo que hay que superar para aprender de los compañeros. **16-B:** *[...] celebra cada uno de tus logros, por pequeños que sean. [...] Aprender a bailar requiere mucha paciencia y una actitud positiva. No te obsesiones demasiado con los resultados.* No son A ni D, pues en ellos no se menciona este asunto. No es C porque se refiere a la importancia de la práctica, pero no alude a cuestiones de ambición u obsesión por la perfección.

Tarea 3, p. 78: **17-G:** El fragmento eliminado señala los beneficios que tiene el ejercicio en la salud, contenido parafraseado por la oración introducida por *En otras palabras*. **18-C:** El párrafo enumera algunas consecuencias positivas del ejercicio en la salud física. El conector *también* añade otros factores positivos del ejercicio (disminución de la hipertensión) a los previamente mencionados (fuerza muscular, mantenimiento de la masa ósea). **19-F:** La conexión del fragmento eliminado con el texto se observa claramente en las dos primeras palabras de la oración que le sigue: *Esta relación.* **20-H:** El párrafo donde se inserta el fragmento suprimido se refiere a la salud psicológica. El fragmento añade a los beneficios psicológicos mencionados la reducción de la ansiedad, del estrés y la mejora de la calidad del sueño. **21-A:** El fragmento eliminado habla de la importancia de superar los momentos malos a través de una actividad gratificante. Este argumento está apoyado por la primera oración del párrafo: *Practicar senderismo puede contribuir a la mejora del estado de ánimo.* **22-E:** En el párrafo se habla de la importancia de la autoestima. El fragmento eliminado, que señala el efecto de alcanzar un objetivo, conecta temáticamente con él.
Los enunciados que sobran son B y D.

Tarea 4, p. 80: **23-C: a.** *[...]* Las opciones A y B no son posibles en este contexto porque *deberse* solo rige la preposición *a*. **24-C: habían impactado**. *[...]* Las opciones A y B no tienen sentido porque se habla de algo ocurrido. No es una hipótesis. **25-A: cogido**: La construcción con las opciones B y C sería diferente: *Cogiendo/ al coger la mano a mi madre*. Además, no tendrían sentido dentro de la oración. **26-B: asomarse**. Lo correcto es *asomarse a*. *Meterse y entrar* son verbos que rigen la preposición *en*. **27-B: Por**. El valor causal no se puede expresar con *para*. *Debido* necesita la preposición *a*. **28-B: excedería**. El valor de posterioridad respecto a un momento del pasado solo puede expresarse con el tiempo condicional, por lo que quedan excluidas las otras dos opciones. **29-A: frente**. *Enfrente* se usa con la preposición *de*. *Ante* no necesita preposición. **30-C: recién**. La idea de que la acción acaba de ocurrir solo puede expresarse con el apócope *recién*. *Bien y tan* no tienen sentido lógico dentro de esta frase. **31-C: yo**. *Mí y mío* son pronombres cuyo uso es incorrecto en esta comparación. **32-B: más de** (más de + n.º). La opción A, *más que*, se construye con negación: *no teníamos más que...*, y tiene un significado distinto. La opción C, *menos que*, es incorrecta en esta frase. **33-C: Al** *cabo de* es la forma que presenta esta locución temporal de posterioridad. **34-A: moviera**. *Extrañado de que* + subjuntivo. La acción a la que se refiere el fragmento está en pasado, por lo que, según las reglas de la correlación de tiempos, la forma adecuada en este contexto es el imperfecto de subjuntivo. **35-B: lo**. Solo este pronombre neutro reproduce la frase anterior: *arrancar el cuadro y darse a la fuga*. Por este motivo las otras dos opciones son incorrectas. **36-A: qué**. El adjetivo *incapaz*, el verbo *deducir, y lo que...* precisan de un interrogativo indirecto referido a cosa para que tenga sentido la frase. En este contexto, *que y quién* no son posibles.

Prueba 2

19 **Tarea 1, p. 81:** **1-C:** Continuaron la fiesta por ahí es lo mismo que *salieron de juerga*. No es A porque la mujer dice *que lo pasaron en grande* (muy bien), no que fuera una fiesta grande. Además no fue ella la que hizo la fiesta sino que le prepararon una fiesta sorpresa. Y no es B porque se dice que todos iban disfrazados (vestidos como) de japoneses, no que hubiera japoneses. **2-B:** Es el estreno y está todo cogido (no hay localidades). No es A porque se dice *[...] antes de la representación [...] para la función* no puede referirse al cine sino al teatro. No es C, porque la mujer le dice al hombre que tienen que retirar las entradas en la *taquilla* (ventanilla o des-

pacho), no de una máquina. **3-A:** La mujer se lamenta: *qué pena* se refiere a que *eliminaron* a Ferrer, es decir, que perdió el partido. No es B porque el Madrid debe ganar, no le vale con un *empate* (igualar el resultado). Tampoco es C porque la mujer desea que vayan seguidores (*¡Pues ojalá vayan muchos aficionados [...]!*), no que van a ir. **4-B:** La mujer le dice que es *un tramposo* (que no sigue las reglas del juego). No es A porque están jugando a un juego con tablero, fichas y dados, no a las cartas. Y no es C porque no se dice que el hombre le vaya a regalar un billete de lotería. **5-A:** *Dar de sí una prenda* es hacerse más ancha, ensancharse. No es B porque la prenda con dibujos (*estampada)* que le sugiere el hombre está en *el escaparate* (ventana exterior de la tienda), no en una percha. Tampoco es C porque la mujer no se está comprando unos zapatos: *quedar largos, arreglar el bajo, ajustados...* son términos que se refieren a unos pantalones, no a unos zapatos. **6-C:** *La fachada* es la pared exterior de un edificio y la mujer corrige al concursante diciendo que es de estilo barroco, no gótico. No es A porque, aunque Amenábar es el director de esa película, no es el montador, sino uno de los guionistas (el que escribe la historia). Y no es B porque el Guernica es un cuadro pintado al óleo, no al agua (*acuarela).*

20 Tarea 2, p. 82: 0-A: *Creo que la televisión no es la causa primordial por la que la gente no lee. Existen muchos motivos más como el Internet.* **7-C:** *Existen muchos motivos [...] como el Internet,* lo cual quiere decir que no es el motivo primordial. De Internet Jessica no habla. **8-A:** *Un hombre que trabaja más de 8 horas como jornada laboral diaria no tiene tiempo de leer un libro.* **9-C:** *En ocasiones la televisión sirve como elemento educativo, pero esto es en casos muy remotos donde el contenido es meramente educacional.* Ramón no habla del valor educacional de la televisión. **10-B:** *No creo que el factor económico afecte a la falta de lectura, más bien se debe a un factor educacional que tiene todo un bagaje cultural muy profundo.* **11-A:** *No tiene tiempo de leer un libro [...] si hablamos de Inglaterra [...].* **12-C:** Jessica dice lo contrario: *Quizás en las escuelas no promueven mucho el hábito de la lectura, pero también en las casas deben promoverlo.* Ramón no habla precisamente de este tema.

21 Tarea 3, p. 83: 13-B: *Antes siempre venía a ver a mi madre y por eso la conozco a usted. A ella le gustaba mucho.* No es A porque no se dice que Blahnik escuchara los programas con su madre. Tampoco es C porque Blahnik dice que antes su madre escuchaba a Julia Otero y que él la conocía por ella, con lo cual da a entender que ahora la madre está muerta. **14-C:** *Es la segunda tienda que abre usted aquí, ¿no?* No es A porque en el audio escuchamos *la primera en Madrid.* No es B porque en el audio se dice que acaba de inaugurar la tienda de Barcelona, no que vaya a hacerlo en el futuro. **15-C:** *Soy una persona bastante discreta [...].* No es A porque él se considera discreto y no habla de lo que los demás piensan de él. No es B porque Julia Otero dice: *es curioso que huya de los escaparates y de la ostentación...* Él no dice que huya de ese tipo de escaparates. **16-A:** *Fue en los años 60: Bianca Jagger... no sé, y otras tantas mujeres que no eran actrices [...].* No es B porque en el audio se dice que esas mujeres empezaron a hablar de los zapatos de Blahnik en los años 60, pero no que Bianca Jagger conociera esos zapatos en los 60. No es C porque en la entrevista no se dice nada de que en los 60 se empezara a fabricar ese calzado. **17-B:** *[...] fuera de España se ha convertido en algo normal* (el apelativo *manolos).* No es A porque el diseñador dice que cuando se habla de *manolos* en España, inconscientemente lo relaciona con nombres de bares que se llaman así, o de toreros, dado que Manolo es un nombre muy habitual. No es C porque Manolo Blahnik relaciona inconscientemente *Manolo* con nombres de toreros o de bares, no que sea inconsciente llamar *manolos* a sus zapatos. **18-A:** *La mayoría están hechos a mano [...].* No es B porque en el audio escuchamos que *algunos (zapatos), como los más bajos, pueden ser montados a mano y el tacón a máquina.* No es C porque Blahnik, en realidad, no sabe cuánto miden los tacones más altos.

22 Tarea 4, p. 84: 19-B: Persona 1 *[...] si, por ejemplo, pudiera hacerse en ciudades como Roma o Grecia, que permitiera ver lo que fue la antigua ciudad antes de verse en ruinas.* **20-F: Persona 2** *Estoy de acuerdo, las «maquinitas» transforman los hábitos culturales.* **21-C: Persona 3** *[...] un acceso a la tecnología que no excluya a los grandes grupos siempre olvidados, como los mayores y personas con bajo nivel cultural o económico.* **22-J: Persona 4** *Sin duda se trata de un avance, pero no de una novedad, ni de una transformación de los hábitos culturales.* **23-H: Persona 5** *La iniciativa del Museo de Londres con la aplicación de Street Museum [...] y te da a conocer datos que ignorabas.* **24-E: Persona 6** *Es obvio que este acceso a la cultura es imperfecto, pues nunca podrá sustituir la maravilla de encontrarse ante una obra original que puedes tocar, oler y sentir en toda su magnitud.* Los enunciados que sobran son: D, ya que no dicen que se va a poner en práctica sino *Más útil e interesante me parecería el proyecto Street Museum si, por ejemplo, pudiera hacerse en ciudades como Roma o Grecia [...],* G, falta el paso intermedio del correo electrónico: *las cartas dieron paso a los correos electrónicos y estos a Twitter* e I, no dice que la universalización de la cultura dependa del «diseño para todos» sino *Pero si hablamos de accesibilidad y universalización de la cultura, no podemos dejar de proclamar la necesidad de eso que se ha dado en llamar «diseño para todos» [...].*

23 Tarea 5, p. 85: 25-B: *[...] una cámara de madera con trípode, desde donde el fotógrafo, tras el objetivo, tapándose la cabeza con una cortina, tomaba una imagen de los presentes.* No es A porque lo que escuchamos es que cuando pensamos en cámaras de fotos antiguas, se nos viene a la cabeza *una cámara de madera*, no metálica. No es C porque en el audio no se dice que las cámaras de fotos sustituyeran a los retratos de difuntos, sino que la aparición de la fotografía fue una auténtica revolución en general. **26-B:** *[...] por medio de un cuadro, lo cual tomaba su tiempo.* No es A porque no existían las fotos: *la forma de tener una imagen de un ser querido solo podía ser por medio de un cuadro.* No es C porque no se dice nada sobre cuadros postmórtem, sino sobre fotografías. **27-C:** *Hoy [...] la gente suele mostrar rechazo [...] Para ellos, la muerte era algo cotidiano [...].* No es A porque *[...] estamos insensibilizados ante fotos realmente crueles que vemos a diario en los medios de comunicación* se refiere a hoy en día, ni B, porque en el audio se dice que *[...] se daban casi tantos fallecimientos como nacimientos.* Se refiere a aquella época no a la de hoy (medios de comunicación). **28-A:** *[...] algunos inconvenientes; el primero era el tiempo de exposición, que iba de 15 a 30 minutos.* No es B porque no se dice el tiempo que tardaba en fijarse la imagen, sino el de exposición. No es C porque en el audio escuchamos que *además la fotografía resultaba bastante frágil,* no el daguerrotipo. **29-C:** *[...] uno se veía expuesto a los vapores de yodo y mercurio, algo terrible para la salud.* No es A porque lo que escuchamos es *[...] lo más destacable era que uno se veía expuesto a los vapores [...].* No es B porque escuchamos *[...] hoy en día, que se va a tomar una foto y tiene que pasar todo ese tiempo posando... impensable... [...]* **30-B:** *[...] otro inconveniente de estas cámaras era que al no tener negativo no se podían hacer copias [...].* No es A porque lo que se dice es que los difuntos, por su inmovilidad, eran los mejores modelos para aquellas antiguas cámaras que necesitaban tanto tiempo de exposición. No es C porque escuchamos que *Más tarde, [...] se añadió la costumbre de repartir reproducciones de la foto o recuerdos entre los familiares que vivían lejos.*

Examen 5 CD II

Prueba 1

Tarea 1, p. 96: 1-B: *Twitter [...] se acomoda al narcisista, [...] con tal de que se cumpla el requisito primario de que se le preste atención.* No es A porque se indica que los que usan Facebook necesitan dar detalles de su vida: el beso con la novia es solo una entre otras informaciones para compartir. No es C porque lo que se dice en el texto es: *Da igual generar admiradores o enemigos*, lo que no significa que con Twitter se generen enemigos necesariamente. **2-C:** *[...] existe una correlación entre las horas que la gente dedica a las redes sociales y el grado de soledad que siente en su vida.* No es A porque no dice que las personas que usen las redes estén deprimidas, sino que cuanto mayor tiempo se pase en ellas, *mayor posibilidad hay de sufrir un trastorno depresivo o antisocial.* No es B: *Esto no significa que todos los que navegan por las redes sociales sean unos tristes ineptos en el cara a cara.* **3-C:** *Al no poder ver al otro, al no detectar sus momentos de duda o rabia, la conexión no es humanamente completa.* No es A porque solo señala que en las redes sociales uno no muestra sus puntos débiles. Eso no significa que mostrar los puntos débiles lleve a una relación auténtica. No es B porque lo único que se indica en el texto es que en la vida real es imposible vender una relación de autosuficiencia. **4-B:** *[...] las redes sociales ofrecen la posibilidad de hacer algo menos complicado [...] nos permiten pasar un rato divertido.* No es A porque en el texto se dice que *Siempre y cuando uno tenga también una vida fuera del terreno informático, las redes ofrecen la posibilidad de hacer algo menos complicado o ambicioso que forjar relaciones nuevas.* Esto no significa que se recomienden las redes sociales. No es C porque no es algo que se diga en el texto. **5-A:** *[...] un hombre fue acusado falsamente de pederastia en Twitter. Ahora, tanto la persona que publicó el tuit original como los que le retuitearon viven bajo la amenaza de una demanda.* No es B: *Twitter puede crear complicados problemas legales en el caso de que más países decidan seguir el ejemplo del Reino Unido.* Es una hipótesis, no una afirmación. No es C, porque los problemas legales pueden afectar no solo a quien publica el tuit, sino también a los que lo retuitean. **6-B:** *Pero negar que [...] lo hacemos también por vanidad, para ser admirados, [...] es caer en el autoengaño.* No es A: *Muchos periodistas dicen que se han metido en esta profesión [...] para contar la verdad. Algo de eso hay, sin duda.* Por tanto, el autor no lo considera el fin básico. No es C porque lo que se dice en el texto es que los periodistas no pueden negar que buscan la admiración del público. Negar este hecho hace al periodista que se engañe a sí mismo, no a su público.

Tarea 2, p. 98: 7-C: Ambos tipos de educación *se ayudan, se complementan, se necesitan, pero son dos vidas distintas.* No es A porque Óscar contrasta la educación tradicional y la formación en línea en sus aspectos económicos. No es B, ya que no se refiere a esta cuestión. No es D, pues solo se refiere a la educación tradicional para hablar de las falsas creencias que se tienen sobre ella. **8-A:** *Otra ventaja es la flexibilidad en la evaluación: el propio sistema puede evaluar, previamente a la presentación del curso, a cada alumno en particular [...].* No son B, C ni D porque en ellos no se menciona esta cuestión. **9-D:** *[...] cuando este fenómeno educativo esté más consolidado [...] será más fácil determinar las ofertas de calidad.* No es A porque Óscar habla de las ventajas de la formación en línea, pero no se refiere a la elección de cursos en un futuro. No es B: habla de la importancia de adaptarse a este tipo de formación, pero no de las consecuencias que tendrá a la hora de elegir un curso. No es C: compara la formación tradicional y la enseñanza en línea, sin referirse a la influencia que tendrá la mayor oferta de cursos *on-line* en la decisión de optar por un curso en el futuro. **10-B:** *En el ámbito empresarial, este sistema implica un cambio de mentalidad en la dirección de formación de la empresa [...].* No son A ni D porque no hablan de este tema. No es C porque su intervención se centra en los aspectos educativos y en la comparación de las enseñanzas tradicional y virtual, sin mencionar esta cuestión. **11-D:** *Las primeras ofertas de formación on-line competían [...] contra el mito de la educación presencial y participativa de la universidad.* No es A, porque Óscar se refiere a la educación tradicional para señalar que es más cara que la formación en línea (de *costes menos elevados*), pero no habla de la idea que se tiene sobre la primera. No es B, pues Raquel cita únicamente la educación tradicional para precisar que complementará a la formación virtual en el futuro. No es C pues, aunque compara la educación tradicional y la virtual, no se refiere a ninguna creencia falsa sobre la primera. **12-C:** *Esta caracterización permite inferir que la evolución de la educación virtual no debería depender de la tradicional, sin embargo, en esta etapa inicial, la mayor parte de las acciones provienen de las estructuras tradicionales, y esto es lógico [...].* No son A, B ni D porque, aunque se comparan los dos tipos de enseñanza, no se menciona que la formación *on-line* se inspire en la enseñanza tradicional. **13-D:** *Todo ello, junto a las ventajas del e-learning, propició un panorama muy prometedor que ha atraído a numerosas instituciones a replantearse sus cursos presenciales.* No es A: habla de las ventajas de la formación *on-line*, pero no se refiere a las medidas tomadas por los centros. No son B ni C porque no se menciona esta cuestión. **14-C:** *[...] pero también es lógico prever una incorrecta evolución si la educación virtual tiene que depender de la educación tradicional para su desarrollo [...].* No son A ni D porque se limitan a comparar la educación en línea y la tradicional, pero no mencionan relaciones de dependencia entre ellas. No es B porque considera que la información tradicional complementa a la formación en línea. **15-B:** *Todos los directamente implicados en tareas de formación y desarrollo [...] sabemos que no podemos dar la espalda a esta nueva concepción. Quien piense lo contrario y no esté en línea de salida cuando sea el momento, quedará irremediablemente fuera.* No son A, C ni D porque no hablan de las consecuencias de no adoptar las nuevas tecnologías. **16-D:** *Las primeras ofertas de formación on-line competían contra el temor hacia lo desconocido que inspiraba Internet [...].* No son A, B ni C porque no se refieren a los comienzos de la formación *on-line*.

Tarea 3, p. 100: 17-C: El fragmento eliminado ofrece un contraste entre lo que percibimos de forma consciente frente a la capacidad de nuestro cerebro para detectar otras cosas con *Sin embargo*, que aparece en el párrafo siguiente. **18-F:** El párrafo previo señala los dos efectos de la publicidad subliminal. El fragmento suprimido, encabezado por el conector sin embargo, matiza el valor de la oración anterior. **19-H:** El fragmento eliminado completa la frase previa y se conecta semántica y sintácticamente a ella mediante *a pesar de* y *tratarse de un mito*, referido al *falso experimento*. Además en la frase siguiente *Este* alude a Estados Unidos. **20-E:** El fragmento suprimido ofrece un ejemplo de lo afirmado en la oración previa. El contenido del fragmento, donde se habla de *palomitas*, conecta el fragmento con la parte final de la oración previa *durante la filmación de una película en un cine*. La frase siguiente también nos confirma que se trata de este fragmento ya que recoge el resultado del experimento con *venta de palomitas en un 58% y del refresco en un 18%.* **21-B:** El fragmento eliminado queda ejemplificado en la oración siguiente, lo que demuestra su relación con el tema gracias al marcador del discurso *Es decir*. **22-D:** La oración que sigue al fragmento suprimido explica el *curioso experimento* y se conecta al representar las *cuarenta personas* mediante los pronombres *Se y les*. Los enunciados que sobran son A y G.

Tarea 4, p. 102: 23-B: **como**. Se trata de una comparación de igualdad (*tan...como).* La construcción con *tan... que* (opción A) indica una consecuencia. No es posible la combinación *tan...de* (opción C). **24-A:** **a**. Se trata de una locución adverbial, una expresión fija, por lo que las otras dos opciones son incorrectas.
25-A: **le**. El verbo *extrañar* no admite complemento directo (opción B). Existe una variante reflexiva (*extrañarse),* que exige la preposición *de,* no presente en el texto, lo que imposibilita la opción C. **26-C:** **estuviera**.

Extrañar rige subjuntivo. Las opciones A y B son, por tanto, incorrectas, por tratarse de formas de indicativo: pretérito indefinido y pretérito imperfecto, respectivamente. **27-C: pero**. La oración no rectifica la frase previa, por lo que no es correcta la opción A. La opción B, el adverbio de cantidad *más,* carece de sentido en este contexto. **28-A: en fin**, *en suma, en pocas palabras.* No es correcta la opción B en este contexto, ya que *por fin* expresa con énfasis el término de una espera. No existe la expresión *a fin* (opción C). **29-B: acabar *de*.** *Haber ocurrido algo poco antes,* es decir: «como si hubiera hablado poco antes». Tal sentido no existe con las otras dos opciones. **30-C: levante**. Las opciones A y B son incorrectas porque el verbo *disculpar* rige subjuntivo. **31-A: como:** *de la manera/ forma que.* Esta interpretación descarta las opciones A y B. **32-C: sintiera** Aquí se expresa una hipótesis irreal en presente. Este significado imposibilita las opciones A y B. **33-B: siquiera** *tan solo.* Este sentido restrictivo no es posible con *incluso* (opción C) ni *además* (opción A). **34-A: haya sido**. La oración de probabilidad *lo más probable es que* exige subjuntivo, lo cual hace que las dos restantes opciones sean incorrectas. **35-C: le**. El pronombre se refiere al fragmento «a doña Agustina», que es complemento indirecto en esta oración. Por ello son incorrectos *lo* y *la,* pronombres de complemento directo. **36-B: descubrirse**. Detrás de una preposición no es posible el uso de una forma verbal personal (opción A) ni del gerundio (opción C).

Prueba 2

1 Tarea 1, p. 103: 1-B: *¡Me dejas de piedra!* (con esta locución se expresa una gran sorpresa). No es A porque, aunque el hombre cuenta una noticia sin confirmar (*dicen*), no escuchamos que la haya leído en la prensa rosa o del corazón. Y no es C, porque la mujer no dice que la cantante se haya separado, sino que *se ha quedado viuda* (ha muerto su marido) *hace poco.* **2-B:** *espero que no sea una multa de tráfico…* (tiene miedo) … *me mete en cada lío* (le plantea problemas) … *cuando me coge el coche* (cuando conduce su coche). No es A porque el correo certificado no lo ha podido recoger Víctor, ya que se lo tienen que entregar a ella personalmente (*en mano).* Y no es C porque Correos está muy lejos (*en el quinto pino)*, no al final del parque. **3-C:** … *nos consta que usted aceptó... Pues no me lo explico* (no puede ser); *es imposible, porque vivo sola…* (niega el hecho). No es A porque la mujer quiere *poner una reclamación* por una llamada que ella no ha hecho; no dice que la factura no esté bien explicada. Y no es B porque el hombre dice que ella aceptó el pago (*una llamada a cobro revertido)* de una llamada desde Alemania, no que ella la hubiera realizado. **4-B:** … *tienes mala cara* (mal aspecto); … *esta noche no he podido pegar ojo* (no he podido dormir). No es A porque la mujer se sorprende de que el hombre no se haya enterado de la noticia, no de que no le haya informado de ella. No es C porque *una rueda de prensa* (declaraciones en directo con preguntas), no es un reportaje. **5-C:** *¿Lo ves? ¡Has metido la pata!* (te has equivocado) son formas de reprochar a su hijo la información falsa que le acaba de dar (*en la 8 ponen un documental…).* No es A porque la madre no le pide al hijo que le deje a ella cambiar de canal, sino que *deje de* (pare de) *zapear* (cambiar de canal*).* No es B porque el hijo no le da esa información (que en la Cadena 8 empieza un programa tras los anuncios), sino que *ponen un documental* y en ese momento hay anuncios. **6-A:** …Pues, mira, *abuela…*; *Primero tienes que entrar en esta página, ¿ves?, y luego pinchas…* son explicaciones. No es B porque la abuela quiere hablar con su nieto que está en Alemania, (*¿y para hablar con tu hermano…?*), no dice que quiere que su nieto Jaime hable con su tío. No es C porque la abuela consiguió instalar el antivirus *de casualidad* (de forma imprevista o inesperada, con suerte), no se dice que fuera de prueba.

2 Tarea 2, p. 104: 0-C: No se dice que haya documentales en los que, curiosamente, nadie reacciona, sino que hay trabajos y documentales que nos cuentan cosas increíbles, alucinantes pero, misteriosamente, nadie ha reaccionado ante ellas. **7-C:** *[…] en la ficha técnica de la película: la dirección, el guion, el sonido y el montaje están hechos por Peter Joseph.* No se dice nada sobre la producción. **8-B:** *[…] por medio de un documental maravilloso para unos y terrible para otros.* **9-C:** *En la primera parte […] dice que Jesús de Nazaret no es más que la unión del mito del dios solar y otros mesías nacidos el 25 de diciembre.* **10-A:** *Lo que pasa es que estamos viviendo cambios brutales en la información. La Red es una ventana abierta al mundo.* **11-A:** *El vídeo no aporta nada nuevo, pero la presentación, muy emotiva, el ritmo, casi apocalíptico, es tremendamente eficaz.* **12-B:** *Entonces llega Zeistgeist y tiene 50 millones de visitantes, sin publicidad en los medios.*

3 Tarea 3, p. 105: 13-C: *[…] entre el amplio catálogo de regalos que se puede hacer tanto a grandes como a pequeños, siempre se cuelan los videojuegos.* No es A porque lo que escuchamos en el audio es *Algunos,* *los más afortunados, ya habrán recibido la visita de Papá Noel*, no que los más afortunados reciban videojuegos. Tampoco es B porque la presentadora de la entrevista no dice que todos reciban videojuegos sino que *entre el amplio catálogo de regalos [...] siempre se cuelan los videojuegos.* **14-C:** *existe un crecimiento del consumo familiar de este tipo de ocio, integrado en el hogar como una opción más de entretenimiento.* No es A porque en el audio escuchamos que la producción de videojuegos no atraviesa un buen momento en España. No es B porque en el audio se dice que el consumo atraviesa un buen momento, pero no la producción. **15-A:** *Lo cierto es que no hay una industria importante que tenga conocimientos en esta área [...].* No es B porque lo que se dice en el audio es que no hay una industria importante en España. No es C porque *[...] los creativos tratan de irse a una compañía donde tengan posibilidades de desarrollo profesional.* **16-B:** *[...] la piratería se produce* on-line, *y es casi imposible de controlar.* No es A porque en el audio se dice que *el nivel de piratería es tremendamente preocupante y podríamos hablar del 50 o 60% del total del consumo de videojuegos*, no que el 50% de las descargas sea de videojuegos. Por la misma razón no es C. **17-A:** La presentadora afirma que hay gente que opina que los videojuegos, por su contenido violento, pueden ser perjudiciales para los niños. No es B porque lo que dice Carlos Iglesias es que la opinión sobre los videojuegos está cambiando (su influencia negativa sobre los niños), no que la opinión sobre los juegos violentos haya cambiado. No es C porque el Sr. Iglesias no dice que los niños que usan videojuegos sean más inteligentes, sino que muchos videojuegos *desarrollan el intelecto.* **18-C:** *Yo creo que se va superando esa opinión y ya queda lejos esa negatividad hacia los videojuegos y se va viendo que pueden ser útiles cuando se usan bien.* No es A porque en el audio escuchamos que *muchos (videojuegos) desarrollan el intelecto, fomentan la creatividad, favorecen la socialización [...],* no que los niños más sociables los usen. No es B porque Iglesias dice que *(los videojuegos) son un elemento con el que padres e hijos pueden compartir momentos*, no que su uso correcto los una.

4 Tarea 4, p. 106: 19-J: Persona 1 *Trabajo toda la mañana con el ordenador, así que cuando llego a casa no tengo muchas ganas de usarlo.* **20-A: Persona 2** *Yo tengo un amigo al que le robaron la contraseña de Twitter.* **21-B: Persona 3** *Hay personas que pierden la noción del tiempo cuando están delante de un ordenador y solo piensan en estar conectados o jugando, y no pueden parar.* **22-D: Persona 4** *El ciberadicto se conecta más de 30 horas semanales, desatendiendo estudios, vida familiar, social y laboral.* **23-I: Persona 5** *No creo que se deban censurar contenidos de Internet, pero sí hay que tener un uso responsable.* **24-C: Persona 6** *Si no tenemos nuestro equipo bien protegido, podemos ser víctimas de este virus que puede tomar el control de nuestro ordenador y usarlo para diversos fines que ninguno de nosotros desearíamos.* Los enunciados que sobran son E, porque a la persona 2 no le robaron la contraseña, sino a un amigo (*Yo tengo un amigo al que le robaron la contraseña de* Twitter, *y con ese dato empezaron a insultar a la gente en su nombre.*); G, porque el resultado del estudio que hizo Norton, según la persona 4 es que *el ganador absoluto (en las conexiones de los jóvenes a Internet) fue el sexo; después vídeos y también las redes sociales*, no que los vídeos tuvieran un contenido sexual y sean lo más buscado en Internet por la gente adulta; H, porque la persona 5 no dice que haya que tener sentido común con los niños, sino *Para mí es el mejor medio de comunicación que existe, pero usándolo bien y teniendo sentido común [...].* Por otra parte dice que *Con los niños hay que tener cuidado, porque hay contenidos sexuales, violentos, que hay que restringirles, porque son edades muy vulnerables ante ese tipo de temas*, no que se les deba permitir solo buscar información.

5 Tarea 5, p. 107: 25-C: *Sabemos que Internet se está imponiendo como el medio por excelencia para conocer gente [...].* No es A porque lo que escuchamos es que *Internet se está imponiendo como el medio por excelencia para conocer gente, sobre todo cuando uno está intentando encontrar pareja*; es decir poco a poco está convirtiéndose en el medio principal para encontrarla, no que lo sea ahora mismo. No es B porque en el audio se dice que *Al ser un medio muy nuevo, podemos oír historias de todo tipo* (relacionado con el hecho de conocer a gente nueva y, por extensión, a una posible pareja). **26-B:** *Nos vamos a centrar en las primeras etapas, que es donde algunos pueden sentirse más desorientados.* No es A porque en el audio dicen: *A medida que la relación vaya avanzando con normalidad, hay un momento en que el éxito o el fracaso dependerá más de las habilidades sociales y personales que tiene cada uno que de las propias características de la Red*, no que en Internet se demuestren las habilidades sociales y personales. Tampoco es C, porque las características propias de Internet no influyen para nada en las primeras etapas de una relación. **27-A:** *Nos ayudará a aprender, a asumir y a practicar que podemos decirle que* no *a alguien cuando nos escriba y que también nos pueden decir que* no *a nosotros.* No es B porque escuchamos que *El hecho de que Internet sea un lugar muy frecuentado está muy bien en principio, pero esto nos obligará a hacer una selección, con criterios muy subjetivos*, no que haya que actuar con subjetividad. No es C porque en el audio escuchamos que *una primera regla de oro de Internet es que no todo el mundo nos vale ni a todo el mundo le valemos.* **28-B:** *La accesibilidad quiere decir que nos ven y nosotros vemos también a mucha gente, es relativamente fácil que se comuniquen con nosotros.* No es A porque lo que escuchamos es que *En el ser humano hay una regla importante que es que nos vemos obligados a devolver el saludo a quien nos saluda, pero en Internet esto no es necesario u obligatorio.* No es C porque en el audio escuchamos que hay que ignorar y borrar a quien nos hable de cosas desagradables o nos haga propuestas extrañas o fuera de lugar. **29-C:** *Tenemos gente que de pronto se siente escandalizada o sorprendida cuando reciben un correo con ofertas de matrimonio o sexo rápido y no hay que escandalizarse por esto, realmente.* No es A porque lo que escuchamos es: *Internet se ha hecho para ganar tiempo, no para perderlo.* No es B porque escuchamos *Tenemos varias formas de perder el tiempo: una, leernos todos los correos que recibimos de arriba abajo.* **30-B:** *[…] Internet se ha hecho para ganar tiempo, no para perderlo.* No es A porque lo que se dice es *Por lo tanto os sugerimos que no perdáis el tiempo y os centréis en buscar esa persona que necesitáis*, no que nos centremos en no perder tiempo. No es C porque escuchamos que *Internet es un medio por el que podemos conocer a mucha gente de una forma relativamente fácil y donde se acorta el tiempo, tanto para conocer a la gente como para dejar de conocerla.*

Examen 6 CD II

Prueba 1

Tarea 1, p. 118: **1-A:** *La felicidad en la vejez depende más de una actitud positiva que de la salud que se tenga […].* No es B: el estudio es científico; lo que ocurre es que evalúa los criterios subjetivos de los voluntarios, lo cual no es lo mismo. No es C porque no se habla de esta cuestión. **2-C:** *[…] los voluntarios más optimistas –aquellos que pensaban que estaban envejeciendo bien– no siempre coincidían con los que tenían mejor salud.* No es A porque se expresa justamente la idea contraria. No es B: *[…] en el estudio se les pidió que evaluaran su envejecimiento […]. Lo que hizo el estudio fue medir estas apreciaciones.* **3-A:** *El estudio llama la atención por la inusual consideración de criterios subjetivos para evaluar el estado del envejecimiento.* No es B: *Por el contrario, una buena actitud es casi una garantía de un buen envejecimiento.* No es C: *[…] el estado físico no es sinónimo de un envejecimiento óptimo.* **4-B:** *[…] si bien no existe un consenso en la comunidad médica a la hora de definir con exactitud lo que puede entenderse como un envejecimiento adecuado.* No es A, porque sí se puede hablar de un buen envejecimiento: *Suele considerarse normalmente que una persona envejece bien si […] sigue manteniendo más o menos sus facultades […].* No es C: *Suele considerarse normalmente que una persona «envejece bien» si tiene pocas dolencias […].* **5-A:** *Este estudio demuestra que la percepción de uno mismo es más importante que el estado físico para considerar que el envejecimiento se desarrolla adecuadamente.* No es B: No se dice que haya personas de 80 o 90 años que no estén enfermas, sino que hay personas que con esta edad todavía están activas. No es C: *[…] el mundo científico ha adelantado que puede que haya neuronas que sí se regeneran, a pesar de la edad […].* **6-B:** *[…] la gente que pasa algo de tiempo cada día socializándose, leyendo o participando en otras actividades de ocio tiene un nivel de satisfacción más alto en la vejez.* No es A: *[…] estas actitudes pueden ser* más importantes que el estado de salud corporal para alcanzar el envejecimiento adecuado. No es C porque en el texto *se recomienda* que las personas mayores cultiven actitudes positivas, lo que no significa que muchas personas mayores no tengan tales actitudes.

Tarea 2, p. 120: **7-C:** *La cultura tradicional ha sabido integrar secularmente todos los contrarios: a los periodos festivos siguen épocas de penitencia, a estas de nuevo los festivos […].* No es A, pues, aunque habla de los elementos que componen la romería, no dice en ningún momento que sean opuestos. No son C ni D porque no hablan de esta cuestión. **8-D:** *[…] la romería sigue siendo lugar de iniciación amorosa para los más jóvenes […].* No son A, B ni C porque en ellos no se menciona este tema. **9-A:** *[…] podemos apreciar que toda fiesta popular, para que lo sea en toda su extensión, ha de contar con dos elementos esenciales: la alegría y la comida.* No son B ni D porque no se refieren a esta cuestión. No es C porque, si bien menciona este tema, lo hace para marcar que no es muestra de una actitud hipócrita. **10-B:** *[…] digamos que toda manifestación romera consta de tres etapas bien definidas: el camino hacia la Madre, el encuentro con la Madre y el desmadre […].* No es A porque habla de los elementos de la romería, pero no de sus fases. No son C ni D porque no se refieren a esta cuestión. **11-C:** *La alegría de la fiesta con sus comilonas y sus bailes no son, [...] una muestra de la hipocresía de los romeros [...].* No son A ni B, porque si bien es cierto que ambos se refieren a esta combinación de elementos, no contemplan que pueda considerarse como hipócrita. No es D, puesto que no menciona esta cuestión. **12-B:** La última etapa de la romería es *el desmadre, dicho sea esto último en el sentido más amplio de los excesos y consiguiente pérdida de respeto a la «oficialidad» –ya sea eclesiástica o civil– de las normas establecidas.* No son A, C ni D porque en estos tres textos no se habla de este tema. **13-A:** *[...] toda romería encierra unos símbolos cuyas claves de lenguaje son ante todo manifiestamente festivas.* No es B: habla del carácter festivo de la romería cuando se llega al santuario, nada más. No es C: se refiere al talante festivo como forma de compensación del sufrimiento previo de los romeros. No es D, pues en el texto no se menciona este tema. **14-C:** *[...] en estos casos festivos los extremos (penitencia y fiesta) no se contradicen en modo alguno, sino que se refuerzan mutuamente.* No son A ni B porque, aunque aluden al carácter festivo, no se refieren en concreto a esta cuestión. No es D porque no menciona este tema. **15-A:** *[...] ya sea en las tierras del Cantábrico, en la meseta central, en las orillas levantinas del Mediterráneo, o en las tierras del sur [...] contamos con romerías de gran trascendecia etnológica y antropológica que nos pueden servir de ejemplo de ello.* No son B, C ni D porque no hablan de esta cuestión. **16-D:** *Tanto esa noche, como la precedente, tiene lugar una verbena popular cuya ubicación ha ido cambiando de emplazamiento según qué épocas [...].* No son A, B ni C porque no hablan de los lugares donde se celebran las verbenas.

Tarea 3, p. 122: **17-H:** El fragmento suprimido se conecta al texto anterior a través de la mención al *esfuerzo* (que se refiere a *la inversión solidaria*) y a las personas con minusvalía visual (*estas personas*). **18-A:** El fragmento eliminado se conecta temáticamente al anterior y esta conexión aparece sintácticamente en el inicio del fragmento (*En este largo tiempo,*), que alude a los 75 años de historia de la ONCE. **19-C:** El fragmento omitido recoge la idea que da comienzo al párrafo precedente *(Una buena dosis de energía -que nosotros llamamos ilusión- [...])* y sirve para introducir el nuevo parágrafo: *Este fue la Fundación ONCE para la Cooperación e Inclusión Social de Personas con Discapacidad [...].* **20-F:** El fragmento suprimido desarrolla la oración que le precede, concerniente a la solidaridad con personas ciegas de América Latina. **21-G:** El fragmento eliminado, que constituye la última oración del párrafo, se conecta temáticamente al texto en que se inserta, donde se habla de la repercusión de la ONCE en la Unión Europea. **22-E:** El fragmento omitido comienza con *Esta*, pronombre con el que se menciona la *plataforma representativa* de la que se habla en la oración anterior. Los enunciados que sobran son B y D.

Tarea 4, p. 124: **23-B: alguna**. *Cualquiera* no es correcto porque es un pronombre. *Toda* no es posible en este contexto. Sí sería viable si se refiriera a una cantidad indeterminada en una frase del tipo: *Los niños se comían toda golosina que encontraban.* **24-A: podré**. *Me parece que* exige indicativo. Las opciones *pueda* (presente de subjuntivo) y *pudiera* (pretérito imperfecto de subjuntivo) son, por tanto, inviables. **25-A: Estarán**. Futuro de probabilidad: expresa inseguridad en el presente. El contexto no permite *estarían* (inseguridad en el pasado) ni *estén,* forma que, para expresar probabilidad, necesitaría la presencia de, por ejemplo, un adverbio como *quizá* o una oración como *es posible que*. **26-C: mientras tanto**. Es incorrecto *durante,* porque exige ir seguido de una expresión que indique cantidad de tiempo (*cinco minutos, una hora, dos días, etc.*). Tampoco es posible *al tanto,* pues significa *al corriente, enterado de algo.* **27-C: pase**. El verbo *esperar que* rige subjuntivo. Esto hace imposibles las opciones *pasa* y *pasará* (presente y futuro de indicativo, respectivamente). **28-B: había**. Se trata de una oración impersonal, esto es, sin sujeto, por lo que la opción C es incorrecta. La oración no expresa inseguridad y, por tanto, la opción A es errónea. **29-A: que**. No es posible el uso de *los que* o *quienes* en una oración especificativa sin preposición o sin una coma delante. **30-B: Es que**. Al tratarse de una pregunta, no es posible en esta oración la presencia de *ya que* ni de *como.* **31-C: como**. La oración comunica una causa conocida. No son posibles en este contexto *con tal de que* (conjunción condicional) ni *según,* preposición que nunca significa causa. **32-C: entenderse.** El infinitivo tiene el mismo sujeto que *intentaban,* verbo de influencia. El gerundio (*entendiéndose)* y el participio (*entendidos)* son imposibles como complemento de *intentaban.* **33-A: ayudarle**. *Para ayudarle* es una oración final dependiente de *estaba*. Al tener los dos verbos el mismo sujeto (José), no es correcta la opción B. La opción C es errónea porque tras *para que* aparece subjuntivo. **34-A: en**. *Centrar la atención* exige la preposición *en,* por lo que las restantes opciones son inviables. **35-B: le**. *Costar* no permite complemento directo, lo que imposibilita la opción C. No es correcta la opción A porque el verbo *costar* nunca es reflexivo. **36-B: habrían bajado**. La acción de *bajar* es anterior a la de *suponer.* La oración podría ser *Supuso que la habían bajado. Habrían bajado*, condicional compuesto, es el tiempo equivalente al pretérito pluscuamperfecto (*habían bajado*) con un significado añadido de inseguridad.

Prueba 2

🎧7 **Tarea 1, p. 125: 1-C:** *[…] soy fiel a mi partido* quiere decir que el hombre suele votar o vota siempre al mismo partido. No es A porque el hombre le pregunta a la mujer si ya sabe a quién va a votar, no que si es cierto que ya sabe a quién votar. Y no es B porque la mujer duda (*No sé si abstenerme…*), es decir, no sabe si participará o no en la votación. **2-A:** *Acaban de cerrarse los colegios electorales* es igual que *se ha terminado el periodo de tiempo destinado a las votaciones*. No es B porque no se dice que se vaya a ofrecer un resumen de los resultados, sino que se va a *hacer un repaso de las noticias más destacadas del día.* Y no es C porque aún no se ha hecho el recuento, así que no puede saberse el ganador. Solo se habla del ganador de las encuestas de opinión, que es diferente. **3-C:** La locución *no me cabe en la cabeza* es lo mismo que *no lo puedo comprender*. Y *que los investigadores no hayan encontrado ninguna prueba durante tanto tiempo* es similar a *que la policía no haya encontrado una sola pista* (señal o indicio que permite averiguar algo) *en todos estos años*. No es A porque no se dice que la mujer haya sido liberada por la policía, sino que se escapó. No es B porque la mujer no dice que el secuestrador esté en la cárcel en espera de juicio, sino que espera que en el juicio le manden muchos años a la cárcel. **4-A:** El hombre pide su opinión (*¿Qué te parece?*) sobre la caída del número (*disminución*) de personas con creencias religiosas (*creyentes*). No es B porque aunque la mujer dice *¡Ya nada es pecado!* lo que realmente quiere expresar es que le parece mal que los jóvenes hayan perdido esos valores religiosos tradicionales. Y no es C porque *¡Qué le vamos a hacer!* significa: hay que aceptarlo o resignarse, no habla de lo que pueden hacer ellos para arreglar el tema. **5-A:** No pudo evitar ir a la guerra *(no tuvo más remedio que luchar)*. No es B porque en el texto no se da esa información. Solo se dice *¡Desde luego!* (ciertamente, sin duda alguna), locución que puede inducir a error con *desde el primer momento* que aparece en esta opción. Y no es C porque se dice que tuvo la herida de bala *cerca del corazón*, no *en pleno corazón*. **6-A:** La mujer propone ir *(¿Quieres que vayamos?)* a una fiesta tradicional religiosa (*una romería*). No es B porque *así conoces a mi familia* (así puedes conocer a mi familia) es diferente de *porque conoce ya a su familia*. Y no es C porque aunque el chico dice que tiene un partido de tenis (*un compromiso*), se nota por el contexto que es una excusa para no ir; seguramente porque no quiere conocer a la familia de la chica.

🎧8 **Tarea 2, p. 126: 0-A:** *Para mí el Camino de Santiago es un camino de transformación, […].* **7-A:** *[…] en esos 30 días aproximadamente que dura el Camino andando, […].* **8-C:** *Se dice que Compostela significa* Campo de estrellas *y Santiago porque el apóstol lo recorrió en un momento de su vida.* **9-B:** *En realidad fue a finales del siglo XIX cuando se cavó detrás del altar y allí se descubrieron unos huesos en una arqueta y el papa León XIII declaró dogma de fe lo que había sido tan solo una leyenda.* **10-A:** *¿Pero cómo se explica que desde que Santiago predicó en España hasta el siglo XI no haya ningún testimonio escrito de los escritores cristianos de la época, muchos de ellos santos?* **11-C:** *Además no es verdad que sea una tradición de 2000 años.* **12-C:** *[…] donde se cree incluso que conservan el Santo Grial y, aunque hay pruebas de que no lo es, […].*

🎧9 **Tarea 3, p. 127: 13-A:** *Tenemos la sensación de vivir sin sosiego […].* No es B porque lo que escuchamos es que *estamos empujados por una fuerza que no sabemos de dónde viene y proyectados hacia un destino que tampoco conocemos con seguridad.* Tampoco es C, porque lo que se dice en el audio es que *Desde que nos levantamos hasta que nos acostamos, con los acontecimientos del día, nuestras ocupaciones, nuestros problemas, a veces surgen muchas preguntas*, no que respondamos a muchas preguntas. **14-B:** *Forma parte del oficio del filósofo. De hecho es lo que hacemos, formular preguntas.* No es A porque es la entrevistadora la que plantea la cuestión *¿Es bueno preguntarse cosas?* y el Sr. Torralba no responde que sea bueno o malo, sino que forma parte del oficio del filósofo. No es C porque Francesc Torralba dice que *a veces encuentras respuestas provisionales, nunca científicas.* **15-B:** *[…] cuando hablamos del sentido de la vida nunca encontramos una respuesta concluyente […].* No es A porque en el texto no se dice que haya que indagar en la vida de los demás para dar sentido a la propia vida, sino que *uno indaga, experimenta, explora, escucha cómo los otros han dado sentido a su vida y trata de buscar su propio sentido.* No es C porque no se dice que los teólogos tengan la respuesta definitiva al sentido de la vida, sino que *dentro de los científicos habría respuestas muy distintas, y también dentro de los teólogos y dentro de los filósofos, porque no hay una única respuesta al sentido de la vida y eso es lo más interesante.* **16-A:** *[…] pero creo que hay determinados acontecimientos que suscitan esta pregunta a todo el mundo […] pero la pregunta sobre el sentido de la vida aparece en situaciones clave.* No es B porque es la entrevistadora la que dice *Muchas veces escuchamos que los que no piensan son más felices*, y el filósofo solo afirma que es cierto que *eso se dice mucho.* No es C porque no se dice que pasear por la playa nos haga plantearnos el sentido de la vida, sino que en ciertas circunstancias, no siempre las mismas para todos, como puede ser pasear por la playa o perder a un ser querido, puede surgir esta pregunta. **17-A:** *[...] lo que en el fondo nos hace concluir que lo que da sentido a la vida no es tanto el tener o disponer de confort y bienestar, sino el poseer vínculos sólidos [...].* No es B: *es verdad que es una pregunta que no está siempre presente, por lo general.* No es C porque lo que dice el Sr. Torralba es que nuestras preguntas suelen ser instrumentales, esto es, materiales, y estas no provocan ningún planteamiento sobre el sentido de la vida. **18-C:** *Sin embargo, en otros países donde viven con una comodidad enorme, muchas personas se quitan la vida.* No es A: *Hay países donde resulta muy difícil vivir un día más, y sin embargo el* índice de suicidios es muy bajo, no que haya países donde es difícil plantearse el sentido de la vida. No es B porque lo que escuchamos es lo siguiente: *[...] lo que da sentido a la vida no es tanto el tener o disponer de confort y bienestar, sino el poseer vínculos sólidos.*

10 Tarea 4, p. 128: 19-D: Persona 1 *La Iglesia celebraba San Fermín [...] así que al final acabaron uniéndose ambas cosas, la fiesta religiosa y la de los toros.* **20-B: Persona 2** *En general los extranjeros vienen a correr sin saber cómo se hace y sin mucha conciencia, pensando que los toros son como perros.* **21-H: Persona 3** *[...] desde 1924, año en que empezaron los registros oficiales de los sanfermines, han muerto 15 personas.* **22-F: Persona 4** *Probablemente sea la semana en la que menos gente de Pamplona hay en Pamplona.* **23-G: Persona 5** *[...] pero el problema es que hay gente que se mete sin saber.* **24-I: Persona 6** Creo que *si desaparecieran los sanfermines acabaríamos con el turismo.* Los enunciados que sobran son A (*por el mal tiempo del otoño, se pidió al obispo que cambiara la fiesta, que se celebra desde 1591 en verano*), C (*el joven muerto tenía 27 años*) y E (la persona 5 dice: *[...] la persona que ha caído se levanta y eso no hay que hacerlo*, no dice nada de los toros cuando se caen).

11 Tarea 5, p. 129: 25-C: *La sátira, el baile, la música callejera, el humor, la alegría y la burla, son los rasgos más distintivos.* No es A porque lo que escuchamos es: *La máscara y el disfraz crean confusión [...].* No es B porque no se dice que el Carnaval de Buenos Aires sea peligroso o subversivo, sino que *Por esta rebelión contra lo establecido muchas veces se lo señaló como subversivo.* **26-B:** *[...] esclavos disfrazados de señores y al revés, hombres transformados en mujer, etc.* No es A porque se dice que *los esclavos negros se congregaban junto a sus amos para celebrar este festejo.* No es C porque escuchamos lo siguiente: *[...] los carnavales porteños llegaron a ser famosos, e incluso fueron motivo de escándalo*, no que los carnavales porteños sean un escándalo en sí mismos. **27-B:** *Traído a nuestras tierras por los conquistadores, el Carnaval es un festejo muy antiguo en el continente europeo.* No son A porque, como vemos en la frase anterior, el Carnaval fue llevado por los europeos a América. Tampoco es C porque los conquistadores llevaron el Carnaval a América, pero no se dice nada de que lo consideraran subversivo. **28-C:** *La costumbre que caracterizó al Carnaval porteño fue la de arrojarse agua.* No es A porque lo que escuchamos es que *A fines del siglo XIX, pese a la ordenanza que prohibía arrojar agua, se hicieron famosos los frascos Cradwell, que se vendían en la farmacia Cradwell de la calle San Martín y Rivadavia. Estos arrojaban agua perfumada.* No es B porque, en primer lugar, no se arrojaban los frascos, sino su contenido y, en segundo lugar, esto ocurría a finales del siglo XIX, no después de ese siglo. **29-A:** *La dictadura, en 1976, anuló el artículo primero de la ley por la cual el lunes y martes de Carnaval eran feriados nacionales.* No es B porque escuchamos que *Al despuntar el siglo XIX, cada barrio tenía su murga.* No es C porque lo que escuchamos es que Los Averiados de Palermo fue una de las murgas (agrupaciones de Carnaval) legendarias de los años 30, no que fuera un grupo de músicos importante. **30-A:** *Muchos jóvenes artistas del teatro, la música y la danza han retomado la estética carnavalesca, dando difusión a este género en distintos centros culturales.* No es B porque no se dice que la dictadura prohibiera los Carnavales, sino que dejó de ser fiesta nacional. No es C porque escuchamos todo lo contrario, esto es: *[...] la participación y la creación colectiva eliminan el discurso anticarnavalero.*